Reitkurs für Kinder

Damit das Pferd dein Freund wird

HEIKE LEBHERZ

Was Sie in diesem Buch finden

Vorwort für die Eltern

Äußert Ihr Kind den Wunsch, reiten zu lernen, dann klatschen Sie begeistert in die Hände und rufen laut »Hurra«! Denn dieses Hobby wird Sie in Ihrem Vorhaben, aus Ihrem Kind einen selbstständigen Erwachsenen zu machen, enorm unterstützen: Pferde haben nämlich die besondere Gabe, Charakter und Lebenseinstellung der Menschen, die mit ihnen zu tun haben, positiv zu formen; sie können Ihrem Kind so wichtige Dinge wie Selbstwertgefühl, Sicherheit und Optimismus vermitteln. Durch den Umgang mit dem Pferd lernt Ihr Kind, teamfähig, aufgeschlossen und flexibel alle neuen Aufgaben anzugehen und dabei auch Grenzen zu akzeptieren. Soziales Verantwortungsbewusstsein und Bindungsfähigkeit werden für Ihr Kind keine Fremdwörter sein, Einsamkeit und Frust können Sie dagegen aus seinem Wortschatz streichen, denn Pferde schaffen Freu(n)de.

Wie schön, mit guten Freunden aufwachsen zu dürfen.

Nachdem jedes Pferd eine ganz individuelle Persönlichkeit hat, wird Ihr Kind lernen, sich darauf einzustellen. Und da auf jede seiner eigenen Handlungen ein sofortiges Feedback vonseiten des Pferdes erfolgt, kann Ihr Kind nicht nur vieles über seinen vierbeinigen Partner, sondern auch über sich selbst erfahren.

Doch nicht nur der Psyche tut Reiten gut, sondern auch dem Körper. Und das dürfen Sie angesichts des großen Bewegungsmangels, unter dem Kinder heute leiden – sie sitzen meist viel zu oft und viel zu lange vor dem Fernseher oder dem Computer – nicht unterschätzen. Das Reiten zieht Ihr Kind wieder hinaus in die Natur, es bekommt eine Menge Bewegung und frische Luft, verbessert seine Ausdauer. Koordinationsfähigkeit und Körpergefühl, Motorik und Feinmotorik entwickeln sich ständig weiter, ebenso seine Konzentrationsfähigkeit. Reiten ist ein Sport, der dem ganzen Körper zugutekommt, und hat gegenüber anderen Sportarten den Vorteil, dass symmetrisches, nicht einseitiges Arbeiten beider Körperhälften gefordert ist. Zugegeben, Reiten ist nicht billig, aber es gibt wesentlich kostspieligere Sportarten, die nicht die Hälfte seiner psychischen und physischen Vorteile zu bieten haben. Als Dank für dieses große Geschenk, das Ihnen die Pferde machen, sollten Sie im Gegenzug sehr viel Wert auf die Wahl der Reitschule legen und auch ein paar Euro mehr nicht scheuen, wenn das Drumherum stimmt: Hier trennt sich nämlich oft die Spreu vom Weizen und nicht nur Ihr Kind, sondern auch das Pferd leidet unter schlechtem Unterricht und schlechten Haltungsbedingungen.

Ich möchte Ihren Kindern mit diesem Buch nicht nur einen Einblick in Technik und Gefühl des Reitens geben, sondern darüber hinaus einige Denkanstöße fürs Leben. Viel Glück also für den Start in ein tolles Abenteuer, das Ihr Familienleben hundertprozentig positiv bereichern wird.

Ein (Vor-)Wort für dich!

Du möchtest gern reiten lernen? Das ist ein prima Entschluss, denn der Umgang mit Pferden und das Reiten selbst machen riesengroßen Spaß!

Pferde können tolle Freunde sein und im und rund um den Stall ist immer was los. Mit dem Reiten erlernst du nicht nur die Technik irgendeiner Sportart, sondern die Verständigung mit einem andersartigen Wesen. Wer weiß – vielleicht hilft dir das sogar, mit deinen Eltern oder Lehrern besser klarzukommen, denn genauso kommen dir doch die Erwachsenen manchmal vor, stimmt's?

Mit dem Pferd kannst du einen Freund und Sportpartner gewinnen, der dich im wahrsten Sinne des Wortes – nein, nicht auf Händen – auf Hufen trägt. Aber denke bei allem sportlichen Ehrgeiz bitte immer daran, dass nicht nur der Erfolg zählt. Die schönste Siegerschleife schenkst du dir nämlich selbst, wenn du dich mit deinem Pferd harmonisch verständigen lernst. Geht dein neuer Freund mit dir durch dick und dünn, dann sei stolz auf dich, denn das tun Pferde nur mit Menschen, denen sie vertrauen; und sie vertrauen nur denen, die sie fair und umsichtig behandeln.

Ein guter Reiter zu werden bedeutet im Übrigen sehr viel mehr, als nur die Technik dieses Sports zu beherrschen. Jedes Pferd ist eine ganz eigene Persönlichkeit, dessen Verhalten oft das deine regelrecht widerspiegelt. Im Umgang mit ihm kannst du deshalb viel über dich selbst erfahren. Nutze diese Chance, und wenn etwas mal nicht auf Anhieb klappt, dann lausche erst einmal in dich selbst hinein und versuche herauszubekommen, warum.

Gemeinsames Ziel aller Reitschulen und aller unterschiedlichen Reitstile ist es, dir zu einem harmonischen Miteinander mit dem tollsten Sportkamerad der Welt – dem Pferd – zu verhelfen. All das möchte ich dir in diesem Buch vermitteln, wenn auch manchmal nicht auf dem sonst »üblichen« Weg – etwas Horizonterweiterung hat aber noch keinem geschadet. Vielleicht wird dir im Text mal ein Fachausdruck begegnen, den du nicht verstehst. Sie alle haarklein zu erklären hätte leider den Umfang dieses Buches gesprengt. Bitte frag dann unbedingt deinen Reitlehrer nach seiner Bedeutung.

Es wäre wunderschön, wenn du auch die Worte zwischen den Zeilen liest und verstehst, damit du den vier- und zweibeinigen Freunden, die dir dein tolles Hobby zweifellos bringen wird, ein guter Teampartner wirst. Dann wird der Weg, den du eingeschlagen hast, dich auch viel weiterbringen, als du je gedacht hattest! Also rein ins Abenteuer und genieße die wunderbare Zeit, die du vor dir hast!

Die Freundschaft zu einem Pferd ist wirklich jede Mühe wert.

Hallo, Pferd!

Ein wunderbares Lebewesen steht vor dir – das Pferd. Du bist gespannt auf die ersten Reitstunden und träumst vielleicht schon von herrlichen Ausritten. Damit dein Start gut verläuft, musst du allerhand über das Pferd lernen. Denn nur, wenn du es verstehst, kann es auch dein Freund werden.

Es geht los!

Reiten lernen ist genau richtig für dich. Das weißt du ganz bestimmt. Jetzt müssen nur noch deine Eltern mitziehen. Oder hast du sie schon überzeugen können? Das Abenteuer startet erst einmal mit der Suche nach der passenden Reitschule. Deine Eltern sind bestimmt beeindruckt, wenn du weißt, worauf man bei der Auswahl achten sollte. Dann wissen sie gleich, dass es dir ernst ist. Beim Reitunterricht gibt es nämlich sehr große Unterschiede in der Qualität, und es lohnt sich, etwas mehr Zeit und Energie in die Suche nach der richtigen Reitschule zu stecken. Denn damit behältst nicht nur du den Spaß am Reiten, sondern auch deine zukünftigen neuen Sportpartner – die Pferde.

Du musst einiges in Angriff nehmen, bevor du mit dem Reiten anfängst. Kleidung und Ausrüstung beispielsweise. Es müssen nicht gleich richtige Reitklamotten sein. Aber auf ein paar Utensilien wie den Reithelm kannst du nicht verzichten – schließlich sollst du ja bei eventuellen Stürzen geschützt sein.

An deine ersten ganz engen Begegnungen mit dem Pferd wirst du behutsam von deinem Reitlehrer herangeführt. Du lernst, auf das Pferd zuzugehen, es zu halftern, zu führen und anzubinden. Ja, auch das gehört zu einem richtigen Reiterleben!

Hautnah am Pferd

Dann geht's an die Pferdepflege. Du merkst ganz schnell, dass sie nicht nur der Schönheit des Pferdes dient, sondern nebenbei auch seiner Gesundheit und seinem Wohlbefinden. Bei dieser Gelegenheit könnt ihr euch auch ausgiebig beschnuppern, das Pferd und du. Und wenn du dabei mal eine Karotte rüberwachsen lässt, steht eurer Freundschaft nichts mehr im Wege.

Gerade jetzt, am Anfang deiner Reiterlaufbahn, ist es ganz wichtig, dass du sehr viel über die Verständigung mit einem Pferd erfährst. Schließlich wird es in bestimmten Situationen ganz anders reagieren als du.

Du musst beispielsweise genau Bescheid darüber wissen, wie Pferde ticken, warum sie manchmal schreckhaft sind, wie ihre Sinnesorgane funktionieren und wie du dich verhalten musst, damit sie dich verstehen können.

Nutze einfach deine Chance, ein ganz wunderbares Lebewesen, das dein Leben ungemein bereichern wird, kennenzulernen – das Pferd.

Wahl der Reitschule und des Reitlehrers

Du möchtest gern das Reiten lernen und deine Eltern haben es dir erlaubt. Jetzt stellt sich die Frage: In welche Reitschule gehst du? Vielleicht hast du eine Freundin oder einen Freund, die schon reiten. Dann schließt du dich ihr oder ihm an.

Es ist aber ganz wichtig, selbst einen Blick dafür zu entwickeln, ob es sich um eine gute oder eine nicht so gute Reitschule handelt. Da diese Entscheidung von deinen Eltern mitgetragen wird, möchte ich dich bitten, dieses Kapitel gemeinsam mit ihnen zu lesen. Gerade jetzt, am Anfang deiner Reiterlaufbahn, solltest du eine gute Basis erhalten, die dich befähigt, später in alle Richtungen weitermachen zu können.

Die Grundlagen deiner Ausbildung müssen stimmen und dazu gehört sehr viel mehr als nur ein Reitstündchen pro Woche auf dem schon fertig hergerichteten Schulpferd. Du sollst ja nicht nur die Technik des Reitens lernen, sondern auch die Verständigung mit einem andersartigen Wesen. Denn nur, wenn du es verstehst, wirst du ein richtig guter Reiter. Zur Verständigung gehört auch das Wissen über alles, was Pferde so brauchen, um sich an unserer Seite als Sport-Partner wohlzufühlen.

Leider gibt es immer noch etliche Reitschulen, die nur die reine Reittechnik vermitteln. Da deine Eltern dich

bei der Suche nach der geeigneten Reitschule begleiten werden, sollten sie mit dir auf Folgendes achten:

- Wird dort in kleinen Gruppen intensiv gearbeitet oder sind es Abteilungen von zehn und mehr Reitern?
- Wie reagiert der Ausbilder auf die Schüler? Schreit er herum oder ist er bei seinen Erklärungen ruhig und konsequent? Sitzt er nur gelangweilt in der Ecke der Reitbahn oder beschäftigt er sich engagiert mit Problemlösungen?
- Reiten Anfänger und Fortgeschrittene wild durcheinander oder gibt es Gruppen, die auf dem gleichen Leistungstand sind?
- Sehr schön wäre es, wenn die Reitschule auch Schnupperstunden anböte oder gesonderte Theoriestunden, Vorbereitungen auf den Basispass oder das kleine und große Hufeisen, evtl. auch Bodenarbeitkurse oder -stunden.

Ihr solltet unbedingt mehrmals während des normalen Schulbetriebs dorthin fahren. Zwar kann auch mal in einem guten Betrieb etwas schief- oder an einem Tag alles drunter und drüber gehen, wenn aber bei drei Besuchen jedes Mal unfreundliche und angespannte Stimmung herrscht, dann solltest du gut überlegen, ob du dich hier wohlfühlen kannst. Denn gerade das Drumherum ist sehr wichtig zum Reitenlernen.

Nur wenn du auch sonst gern und lang am Stall bist, kannst du eine Menge über Pferde und deren Verhalten lernen. Was nützt es dir also, wenn du froh bist, nach dem Reiten gleich nach Hause gehen zu können? Aber nicht nur die Form des Unterrichts und der menschliche Umgangston sind entscheidend, sondern auch die Haltung und Behandlung der Pferde. Deine neuen Freunde sollen dich ja brav und gefahrlos auf ihrem Rücken tragen und dir das Reiten beibringen. Für diesen sehr anstrengenden Job müssen sie aber auch entsprechend

TIPP Ob du fürs Westernreiten schwärmst, lieber auf Isländern ins Gelände reiten möchtest oder ein Springcrack werden willst – für dich als Anfänger ist es ziemlich egal, mit welcher Reitweise du beginnst. Denn alle Ausbildungsmethoden haben das gleiche Ziel: aus Pferd und Reiter ein Team zu machen, das sich mit feinsten Signalen harmonisch und fast unsichtbar verständigt.

artgerecht gehalten werden. Pferde, die Tag und Nacht in einer kleinen Box eingesperrt sind und keinen Kontakt zu ihren Artgenossen haben, vielleicht sogar mit gesundheitlichen Problemen zu kämpfen haben, können ihren Dienst nicht freudig tun.

Unter Umständen kann es sogar gefährlich für dich werden, wenn das Pferd aus Frust und weil es seine natürlichen Bedürfnisse nicht befriedigen kann, seelisch verkümmert und zu beißen und zu schlagen beginnt.

ARTGERECHTE HALTUNG

Möchtest du den ganzen Tag allein in einer miefigen und düsteren Gitterbox eingesperrt sein, dich kaum bewegen können und entsetzliche Langeweile haben? Auch Pferde brauchen Licht, Luft, viel Bewegung und den Kontakt zu Artgenossen. Sonst werden sie krank und traurig.

Wo so gute Stimmung herrscht, da bleibt man gern.

Auch wenn es krank ist, können beim Reiten große Probleme auftauchen. Ein krankes Pferd, das eventuell Schmerzen hat, kann bocken und steigen und das ist für dich dann wirklich riskant. Haben die Pferde nicht genug Auslauf, um auch mal ein paar Sprünge, Schrauben und Drehungen in der Luft zu machen, könnten sie dies unter deinem Popo versuchen!

Natürlich hat all das seinen Preis. Die Pferde, die dir in so einer guten Reitschule zur Verfügung stehen, müssen ja das ganze Jahr über versorgt und betreut werden – und das gilt auch, wenn du vielleicht mal nicht kommen kannst. Ich bin sicher, dass deine Eltern aus ihrem eigenen Berufsleben wissen, dass man gewisse Leistungen

Sonne, Schnee und Freiheit – hier ist gut Pferd sein.

WAS IN EINER REITSCHULE WICHTIG IST

In einem Reitbetrieb solltest du auf folgende Dinge achten, wenn du wissen willst, ob sich die Pferde hier wohlfühlen können:

- Artgerechte Haltung der Pferde mit luftigen, hellen Stallungen, die groß genug für die Tiere sind.
- Paddocks und befestigte Ausläufe, um Schulpferden, die in einer Innenbox leben müssen, wenigstens täglich ein paar Stündchen freie Bewegung und Kontakte zu ihren Artgenossen zu gönnen.
- Korrekt eingezäunte Weideflächen für die Koppelzeit.
- Eine große Auswahl an Lehrpferden, damit diese wechselweise auch mal ein bisschen Urlaub bekommen.
- Einwandfreie medizinische Versorgung der Tiere wie regelmäßige Wurmkuren, Impfungen oder Zahnkontrollen.
- Regelmäßige Hufpflege.
- Für jedes Pferd passendes und gepflegtes Sattelzeug.
- Liebevoller und freundlicher Umgangston mit allen Tieren auf dem Hof.
- Sauberes und gepflegtes Putzzeug, das entsprechend sortiert aufgehoben wird.
- Für jedes Pferd genau passendes und gutes Futter.
- Reichliche und saubere Einstreu in den Boxen oder Laufställen.
- Geschultes Fachpersonal, das freundlich und geduldig ist und vielseitig genug, um sich auf dich und das jeweilige Pferd einzustellen.
- Gut ausgebildete und brave Lehrpferde, die auch weiter geschult oder korrigiert werden.
- Reitunterricht in kleinen Gruppen und in fröhlicher und freundlicher Grundstimmung.
- Einen schönen Lebensabend für alte Pferde, die aus dem aktiven Schulbetrieb ausgeschieden sind.

nur erbringen kann, wenn sie auch geschätzt und bezahlt werden. Ganz bestimmt ist ihnen auch deine Sicherheit wichtig und dass du dort in der Reitschule gut aufgehoben bist. Wenn du in dieser Reitschule dann außer dem Reiten und der Verständigung mit dem Pferd auch noch was fürs Leben lernen kannst, dann werden deine Eltern sicher gern ein paar Euros mehr auf den Tisch legen.

In manchen Reitställen gibt es auch die Möglichkeit, mitzuhelfen und sich die ein oder andere Reitstunde selbst zu verdienen. Hilfe wird oft gebraucht, zum Beispiel wenn der Frühjahrs- oder Weihnachtsputz im Stall ansteht und die Sattelkammer mal wieder gründlich aufgeräumt werden muss.

TIPP Weißt du, wie man gute und schlechte Reitlehrer unterscheiden kann? Schlechte sind völlig kompromisslos und preisen nur ihre eigene Methode als die richtige an. Ein guter Reitlehrer macht sich über alle Reitstile Gedanken und lässt positive Dinge daraus auch in seinen Unterricht einfließen.

Das Drumherum macht sehr viel Arbeit, da sind Helfer gerne gesehen. Meistens gibt es nach so einer Aktion einen zünftigen Ausritt oder auch mal eine Springstunde – je nach Können. Frag doch einfach nach, ob es die Möglichkeit bei dir im Stall gibt.

Bitte nicht wecken, mache gerade mein Schönheitsschläfchen.

Kleidung und Ausrüstung

Wahrscheinlich stehst du jetzt vor deinem Kleiderschrank und überlegst: Was ziehe ich an? Du kannst beruhigt sein. Fürs Erste reichen eine bequeme Hose, stabile Schuhe – das findet sich sicherlich in deinem Schrank – und als sinnvolle Investition ein Reithelm. Im Einzelnen brauchst du Folgendes:

Der Helm

Auf den darfst du nicht verzichten, denn er könnte einmal dein Leben retten. Wie bei vielen technischen Dingen gibt es auch für den Reithelm eine sogenannte DIN-Norm. Hier sind die technischen Daten festgelegt,

die das Material und die Wirkung des Reithelms erfüllen müssen. Erkundige dich doch gemeinsam mit deinen Eltern danach. Am besten lasst ihr euch in einem Reitsportgeschäft beraten.

Der Helm schützt deinen Kopf bei eventuellen Stürzen. Wenn du also vom Pferd fällst – was immer wieder mal passiert – und dein Kopf auf einen Holzbalken oder einen Stein im Gelände schlägt, könntest du ohne Helm schwerwiegende Verletzungen bekommen. Mit Helm gibt es zwar vielleicht ein paar blaue Flecken am Körper, aber dein Kopf bleibt heil.

Die Hose

Für die Hose gilt in erster Linie Bequemlichkeit. Achte darauf, dass sie keine zu harten und dicken Nähte an der Innenseite der Schenkel hat. Das könnte ganz gemeine Scheuerstellen verursachen, die sehr wehtun. Heutzutage gibt es aber ja tolle Stretchhosen oder du trägst erst mal Jogginghosen. Für die allerersten Übungen, beim Voltigieren und für die geführten Spaziergänge reicht das allemal. Wenn du dann mal entschieden hast, weiterzumachen mit dem Reiten, solltest du eine richtige Reithose tragen. Zu den »normalen« Reithosen werden Reitstiefel getragen oder Stiefeletten mit Mini-Chaps. Es gibt auch noch Jodhpurhosen, zu denen trägt man Stiefeletten ohne Mini-Chaps. Du siehst, auch in der Reiterszene gibt es alle möglichen Modevarianten. Wichtig ist, dass die Sachen gut passen, nirgendwo kneifen und du dich darin wohlfühlst.

Die Schuhe

Für den Beginn deiner Reitkarriere schlage ich spezielle Reitturnschuhe oder bequeme Stiefeletten vor. Richtige Reitstiefel aus Leder sind sehr teuer und dein Fußgelenk kann in ihnen nur sehr schwer lernen, locker zu bleiben. Gummireitstiefel können – speziell im Sommer – beim Ausziehen nach dem Reiten bei deinen

Ein schicker Hut steht jedem gut.

Familienangehörigen Entsetzen hervorrufen (… ich sage nur: Käsfuß!). Reitturnschuhe oder Stiefeletten dürfen vorn nicht zu breit sein, sonst bleibt dein Fuß im Steigbügel stecken und das kann gefährlich werden. Aber sie sollten recht stabil sein, damit die Zehen nicht zu arg leiden, falls ein Pferd versehentlich darauf tritt. Achte auch darauf, dass sie einen Absatz haben, damit sie nicht durch den Steigbügel rutschen.

Das Obendrüber

Zieh dich zum Reiten und für deine Stallbesuche immer »zwiebelmäßig«, das heißt in mehreren Schichten, an. Da du sicher einige rasante Turnübungen auf dem Pferd vollführen wirst oder aber nach der Reitstunde noch eine halbe Stunde im Stroh herumtobst, kann es dir sehr warm werden. Dann solltest du deine Jacke und den dicken Pulli ausziehen können. Bist du dann irgendwann erschöpft und wartest auf den Bus oder deine Abholung, musst du unbedingt die Jacke und den Pulli wieder anziehen. Sonst gibt's eine Grippe und das heißt Reitpause. Eine wetterfeste Jacke ist immer angebracht, wenn du dich länger im Freien aufhältst. Und übrigens: Nimm in einem Rucksack etwas zum Trinken und Essen in den Reitstall mit. Ein paar Stunden in freier Natur machen hungrig und durstig. Und Leckerli fürs Pferd haben auch darin Platz …

Das Untendrunter

Bequeme Unterwäsche ist oberstes Gebot, sonst gibt's einen wunden Po und auch das heißt Reitpause! Auch wenn es gerade nicht wirklich »trendy« ist, trag bitte zum Reiten ein Unterhemd, sonst droht dir wieder – wegen Nierenentzündung – eine Reitpause! Also mal ehrlich, glaubst du, dein Pferd ließe sich durch dein Äußeres bestechen? Dem ist es egal, ob du geschmückt oder nicht, in Blau oder Grün kommst. Hauptsache, du bringst ihm ein paar leckere Möhren oder saftige Äpfel mit!

Praktisches Outfit, auch zum Spielen geeignet.

KLEIDERFRAGEN – SCHNELL GELÖST

- Deine Oberteile dürfen beim normalen Reitunterricht nicht zu weit sein, sonst kann dein Reitlehrer unmöglich erkennen, ob du gerade sitzt. Auch besonders lange Oberteile sind nichts, denn da sitzt du dann drauf.
- Sei vorsichtig mit Schmuck. Ringe besser ablegen, du könntest an Schnallen hängen bleiben und dich verletzen. Große Ohrringe können sich im »Eifer des Gefechts« auch mal irgendwo verhaken.
- Am Anfang brauchst du dir um eine Gerte oder sonstiges Zubehör noch keinerlei Gedanken machen. Dein Reitlehrer wird dir schon sagen, wenn in deiner Ausrüstung etwas fehlt.

Grundregeln im Umgang mit dem Pferd

Nun sollst du das allererste Mal so richtig engen, hautnahen Kontakt mit dem Pferd aufnehmen. Öffne die
Boxentür und sprich das Pferd mit ein paar freundlichen
Worten an. Es wird nun den Kopf zu dir drehen und
dich ebenfalls freundlich begrüßen. Es schnuppert an
dir, seine Ohren sind gespitzt und sein Blick interessiert.
Prima! Ihr mögt euch also.

Halftern

Halftern musst du ein Pferd, um es z. B. zu führen,
anzubinden oder es zu verarzten. Auf der Weide oder im
Stall sollten Pferde kein Halfter tragen. Sie könnten sich
verletzen, wenn sie mit anderen Pferden spielen und
raufen oder wenn sie an irgendeinem Haken hängen

Steck mal deine Nase durchs Halfter, Momo.

bleiben. Damit sich das Pferd auch angebunden im
Genick nicht wehtut, sollten die Riemen des Halfters
aus breitem, stabilem Material sein. Streichle das Pferd
zuerst mit ruhigen Bewegungen am Hals und an der
Schulter, nun kannst du es aufhalftern. Das Halfter
solltest du schon vorher vorbereiten: Die Riemen sind
nicht verdreht, die richtigen Schnallen geöffnet und es
gehört natürlich deinem Pferd – davon hast du dich
bereits überzeugt. Erst muss die Nase durch und dann
die Ohren. Wenn dein Pferd ein Zappelphilipp ist, fasst
du mit deiner rechten Hand unter dem Pferdehals durch
und hältst seinen Kopf ruhig, aber bestimmt am Nasen-
rücken fest. Bitte die Ohren nicht darunter quetschen,
denn das mögen Pferde gar nicht. Falls es sehr eng ist,
schau nach, ob man es nicht etwas weiter schnallen
kann. Wenn du genug Fingerspitzengefühl hast, kannst
du die Ohren vorsichtig umbiegen, um den Genickriemen überzustreifen. Manche Halfter haben auch eine
seitliche Schnalle am Genickriemen, dann braucht man
es gar nicht über die Ohren zu ziehen, sondern legt den
Genickriemen gleich dahinter. So, jetzt schließen wir
den Kehlriemen und schauen nach, ob es auch richtig
sitzt. Wichtig ist, dass die unteren seitlichen Ringe nicht
gegen das Jochbein drücken. Dies sind die breiten
Gesichtsknochen des Pferdes, sie sind sehr druck- und
schmerzempfindlich. Als Faustregel gilt: Stallhalfter und
Reithalfter der Trense sollen ca. 1 bis 2 Fingerbreit unter
dem Jochbein liegen. Schnalle noch einen Führstrick in
die Mitte des unteren Halfterringes ein und nun kannst
du dein Pferd aus dem Stall herausführen.

Anbinden

Richtiges Anbinden ist schon mal der erste Schritt zur Sicherheit für dein Pferd und auch für dich. Schau dir den
Platz, an dem du es anbinden willst, genau an, durch
deine Aufmerksamkeit können viele Verletzungsmöglich-
keiten ausgeschlossen werden. Da »angebunden sein«

TIPP Wo auch immer du dich einem Pferd näherst, ob in der Box, auf der Weide oder ob angebunden oder nicht: Tu dies nie von hinten, denn hier sieht es dich nicht kommen und könnte erschrecken. Geh seitlich auf das Pferd zu und sprich ein paar nette Worte zu ihm.

nicht zum natürlichen Verhalten des Pferdes gehört, musst jetzt du auf es aufpassen und alles richtig machen. Räume Gegenstände aus der Nähe des Pferdes weg, also Mistgabeln oder Eimer, Strohbänder, in denen es sich verheddern könnte, usw. Das Pferd darf niemals an beweglichen Teilen wie Türen oder Ähnlichem angebunden werden. Gerät ein Pferd nämlich in Panik, kann es diese herausreißen und sich selbst, andere Pferde oder sogar dich schwer verletzen. In den meisten Ställen gibt es in die Wand eingelassene Eisenringe zu diesem Zweck, fest im Boden verankerte Pfosten oder eine Stallwand. Wenn du mal unsicher bist, frag ruhig jemanden, wo es denn geschickt wäre. Musst du dein Pferd neben einem Stallgenossen anbinden, dann halte einen Sicherheitsabstand ein. Vielleicht mögen sich die zwei nicht und es gibt Streit. Dann könnten sie sich gegenseitig verletzen oder du kriegst versehentlich einen herzhaften Biss in deinen Allerwertesten ab.

Du darfst dein Pferd nie an einem zu langen Strick anbinden, sonst kann es sich nämlich darin verheddern. Zu kurzes Anbinden kann Panik hervorrufen. Ist es zu hoch angebunden, tut das dem Rücken nicht gut, denn es soll ja entspannt stehen und den Kopf senken. Du siehst: Wie so oft im Leben ist der goldene Mittelweg gefragt; und mit etwas Unterstützung durch deinen Ausbilder wirst du den auch finden.

Jedes Pferd hat sein eigenes Halfter – schließlich hat jedes einen ganz eigenen Kopf.

Führen

So, nun wirst du eine echte »Führungskraft«. Nicht lachen, die Vergleiche zum Berufsleben der Erwachsenen sind gar nicht so zufällig. Führungsrolle, Führungsposition, Führungskraft, das alles hat sehr viel mit Psychologie und der Geschicklichkeit zu tun, andere von seinen Vorhaben zu überzeugen, sie »dorthin zu führen«.

Das Pferd muss dich beim Führen als Boss anerkennen – das dient deiner und seiner Sicherheit. Wenn du viele hundert Kilogramm Körpergewicht dazu bewegen willst, mit dir zu gehen, nutzen deine Muskeln gar

Der Sicherheitsknoten will geübt sein – probier ihn doch einfach mal bei dir zu Hause aus.

TIPP Der Sicherheitsknoten ist sehr nützlich: Gerät dein Pferd mal in Panik und du musst es befreien, so brauchst du nur am Strickende zu ziehen und schon ist er offen.
Und so geht er: Das Strickende hängst du um einen Pfosten oder ziehst es durch einen Ring. Mit dem Rest bildest du eine Schlaufe und legst sie von hinten um den Strick. Dann machst du erneut eine Schlaufe und fädelst sie durch die erste, dann wieder eine durch die zweite usw., bis zum Strickende. Das kannst du auch ohne Pferd und sogar bei dir zu Hause gut üben. Und ruck, zuck hast du das im Griff.

nichts – du brauchst Köpfchen, Technik und die entsprechende Ausstrahlung! In der Herde entscheidet der Boss, wer sich ihm nähern darf, unaufgefordert überholen lässt er sich auf keinen Fall. In eurem Team bist du nun der Boss und das Pferd hat darauf zu achten, dass es immer einen bestimmten Abstand zu dir einhält und deine Führungsrolle anerkennt.

Im Stall

Fass den Führstrick ungefähr 30 Zentimeter (das ist eine Lineallänge) unter dem Pferdemaul mit einer Hand. Den Rest hältst du mit der anderen Hand fest. Da wir immer beidseitig üben wollen, solltest du von beiden Seiten führen können. Bist du auf der linken Seite des Pferdes, dann hältst du den Strick mit der rechten Hand fest und das Strickende mit der linken. Führst du auf der rechten Seite des Pferdes, ist es genau umgekehrt.

Gerade dieser erste Weg von der Box durch die Stallgasse an den Putzplatz fordert von dir viel Konzentration. Strecken andere Pferde den Kopf über die Boxentüren, dann ist es dein Boss-Job, das Pferd vor herzhaften Bissen in die Kruppe zu beschützen. Das kannst du entweder dadurch verhindern, dass du dort läufst, wo die Pferde den Kopf herausstrecken. Oder du kannst mit dem Ende des Führstricks oder durch Armbewegungen dafür sorgen, dass sie keine Attacke auf deinen Schützling starten. Sind zu beiden Seiten die Obertüren offen, dann bitte irgendjemanden im Stall um Hilfe. Bei Begegnungen auf der Stallgasse solltest du ebenfalls viel Abstand halten. Wenn du dein Pferd auf engem Raum wenden musst, so schick es möglichst immer von deinen Zehen weg. Ist es mal arg eng, dann stell dich vor das Pferd und lass es Schritt für Schritt mit den Hinterbeinen um dich herumtreten.

Bei der Führarbeit gibt es einige Regeln, die du unbedingt beachten solltest:

- Führe ein Pferd niemals nur am Halfter, sondern benutze immer – selbst auf kleinsten Strecken – einen Führstrick. Sonst kann es, wenn das Pferd erschrickt den Kopf hochwirft, einen ordentlichen Ruck in deinem Schultergelenk geben oder dein Pferd ist ganz verschwunden.
- Das Führstrickende darf niemals auf den Boden baumeln, sonst kann einer von euch sich darin verheddern.
- Halte den Strick locker und nicht zu dicht am Halfter fest. Auf keinen Fall darfst du den Strick um deine Hand wickeln. Bei einem unvermuteten Ruck könnte dein Handgelenk brechen oder du würdest ein Stück mitgeschleift.
- Der Strick darf weder durchhängen (Stolpergefahr) noch unter Spannung stehen – dein Pferd soll ja »entspannt« mitlaufen.

FÜHRUNGSKRÄFTE GESUCHT!

Wenn das Pferd von dir lernen soll, sich zu benehmen, dann musst du ihm auch ein Vorbild sein. Ein »Brüllaffe« verursacht beim Pferd nur Unsicherheit und Widerwillen. Einem fairen Boss schenkt es Vertrauen und Respekt – lässt sich von ihm bis ans Ende der Welt führen.

- Schau beim Loslaufen in die beabsichtigte Richtung und gehe mit zügigen Schritten los. Fordere es durch ein freundliches »Komm« zusätzlich auf.
- Du gehst auf Höhe der Pferdeschulter oder knapp davor am Hals des Pferdes. Es darf dich nicht überholen (siehe Seite 29).
- Das Pferd muss deinen »Individualabstand« akzeptieren, es muss einen bestimmten Abstand zu dir einhalten. Andernfalls wirst du bei nächstbester Gelegenheit vielleicht einen mächtigen Rempler erhalten.
- Bei Annäherungsversuchen schlenkerst du das Pferd durch Wellenbewegungen mit dem Strick wieder von dir weg. Will es dich sogar überholen, dann schlägst du ihm kurz mit dem Strickende vor die Brust oder gibst einen energischen Ruck am Führstrick.

Diese Liste soll dich nicht erschrecken, die Gefahren werden nur genannt, damit du vorbereitet bist und weißt, wie du dich verhalten musst. Du solltest deinen Partner immer so ein bisschen aus den Augenwinkeln beobachten, dann siehst du, wenn er sich ein schönes Späßchen in Form von Pulli-mit-den-Zähnen-Zupfen ausdenkt oder eine Fressattacke auf in der Stallgasse liegende Heuballen vorhat. So einfach hinter sich herschlurfen lassen kann man sein Pferd also nicht. Dein Boss-Job ist ganz schön anstrengend, nicht wahr?! Du musst immer hellwach und konzentriert sein.

In der Reitbahn

Hier gelten die gleichen Regeln wie vorher, nur dass du nun dein fertig getrenstes Pferd am Zügel führst. Diese musst du zum Führen immer über den Kopf herunternehmen. Den Zeigefinger steckst du zwischen die beiden Zügel und der Rest wird von derselben Hand als große Schlaufe aufgenommen. Auf gar keinen Fall die restlichen Zügel herunterhängen lassen! Falls dein Pferd darauf tritt, kann es sich durch das Gebiss im Maul ziemlich wehtun oder sogar richtig verletzen.

Es an den über seinem Hals hängenden Zügeln zu führen ist ebenfalls nicht ratsam, denn dann könnte es dich buchstäblich »aus den Schuhen hauen«, wenn dein Pferd einen Satz macht und du nur diese kurze Haltemöglichkeit hast. Sind andere Reiter auf der Reitbahn, dann führe dein Pferd nicht auf dem Hufschlag, sondern mit reichlich Abstand weiter in der Mitte der Bahn. Du solltest deine Position immer so wählen, dass du die anderen Reiter auch sehen kannst, sonst gibt's unter Umständen mal einen Zusammenstoß.

Im Gelände

Mit welcher Ausrüstung du dein Pferd draußen, in der freien Natur, führen darfst, wird dir sicher dein Reitlehrer sagen. Die meisten gut erzogenen Pferde sind so brav, dass man sie mit Halfter und Führstrick auch im Gelände führen kann. Ein paar Besonderheiten gilt es trotzdem zu beachten: Schließlich sind dein Pferd und

du als Verkehrsteilnehmer unterwegs und auch die schönsten Wiesenwege sind meist erst über eine Straße mit Autoverkehr erreichbar.

Leider sind die wenigsten Autofahrer Pferdekenner. Also musst du ein bisschen für sie mitdenken. Um es den Autofahrern, dir und auch deinem Pferd leichter zu machen, solltest du Folgendes beachten:

- Nimm Blickkontakt mit dem Fahrer auf und mach bei Bedarf deutliche Handzeichen, damit er weiß, was er tun soll.
- Bleib immer freundlich. Auch wenn ein Autofahrer sich mal nicht so rücksichtsvoll benimmt, solltest du auf keinen Fall anfangen, laut zu schimpfen und dich zu ärgern. Damit machst du nur die Pferde nervös.

Diese beiden haben dasselbe Ziel – und gehen es auch gemeinsam an!

- Gibt es mal größere Probleme, dann merk dir die Autonummer und sag es nachher dem Stallbesitzer oder Reitlehrer. Die wissen dann schon, was zu tun ist.
- Führe das Pferd auf der rechten Straßenseite. Wenn ihr in einer Gruppe unterwegs seid, dann geht immer hintereinander, sonst hat ja kein Autofahrer die Chance, an euch vorbeizufahren. Falls Fußgänger ohne Pferd mit dabei sind, sollten auch diese auf der gleichen Seite laufen.
- Wenn ihr eine Straße überqueren wollt, müsst ihr das immer gemeinsam machen oder Gruppen bilden. Wenn ein einzelnes Pferd vorausgeht und die anderen dann hektisch werden, kann das ganz schlimme Folgen haben.
- In einer Gruppe haben der Erste und der Letzte immer einen »Späher-Posten«, fast wie bei den Indianern. Der Erste ruft: »Achtung, Traktor von vorne.« Den können ja eigentlich alle noch ganz gut sehen, aber sollte mal die halbe Mannschaft ein Plauderstündchen eingelegt haben, ist der Späher-Posten des hinteren wirklich wichtig. Außerdem kann man sich ja dabei auch abwechseln. Der Pferdeerziehung tut es ebenfalls gut, immer mal wieder an ganz unterschiedlicher Stelle in der Reihe zu laufen.

Geländespaziergänge sind was richtig Tolles. Gemeinsam kann man fachsimpeln oder bestimmte Situationen üben. Das hilft entschieden für die kommende Zeit als Geländereiter, denn vieles ist dir dann schon nicht mehr fremd. Den Pferden gefällt so ein Ausflug besonders gut, denn gemütlich in der Gruppe mit vielen Kindern in der Natur unterwegs zu sein ist entspannend.

Bei längeren Ritten kann man ruhig mal ein Stückchen laufen. Aber dann wieder Helm aufsetzen nicht vergessen!

Pflege

Wenn du dein Pferd putzt, ist das eine riesengroße Chance, Freundschaft mit ihm zu schließen. Erinnere dich: Pferde, die sich mögen, spielen miteinander sehr gern »Fellchenkraulen«. Das ist ein fester Bestandteil ihres Sozialverhaltens und wird ausgiebig genossen. Erwischst du beim Putzen eine Stelle, an der es sich besonders gern massieren lässt, dann kannst du beobachten, wie dein Pferd anfängt, seinen Kopf schief zu halten und die Unterlippe zu verziehen. Sieht ulkig aus und ist ein Zeichen, dass es ihm richtig guttut. »Bloß nicht aufhören jetzt«, sagt sein Gesichtsausdruck. Und das ist o. k., denn so kommt auch dein Kreislauf in Schwung.

Wir zwei werden schon klarkommen, nicht wahr, Nadira?

Mehr als Saubermachen

Schule dein Gefühl und deine Beobachtungsgabe für das Pferd, dann teilt es dir deutlich mit, an welchen Stellen es sich gern und an welchen weniger gern berühren lässt. Wo ein Pferd ungern geputzt wird, zeigt es dir durch peitschenartiges Schweifschlagen oder angelegte Ohren. Ist es besonders kitzelig, zuckt auch die Haut oft stark. Es kann sogar nach dir schnappen, wenn du am Bauch oder in der Gurtlage putzt. Beobachte es deshalb genau und spar empfindliche Stellen nicht etwa aus, sondern werde dort ruhiger und sanfter. Es kann sein, dass an dieser Stelle einmal eine Verletzung behandelt werden muss, und dann ist jeder Tierarzt dankbar, wenn das Pferd die Berührung duldet. Vielleicht hast du auch eine neue Schwellung oder Prellung entdeckt, der in den nächsten Tagen erhöhte Aufmerksamkeit geschenkt werden muss. Pflege dein Pferd immer in ruhiger, entspannter Stimmung. Wenn du jetzt schon hektisch bist, kann sich das auf dein Pferd und die ganze Reitstunde übertragen.

Vorsicht beim Bücken, egal ob du den Striegel ausklopfst oder den Bauch genauer betrachten möchtest. Mit deinem Kopf darfst du nicht vor die Hinterbeine des Pferdes geraten. Es könnte nach einer Fliege schlagen wollen und dich dabei erwischen. Nutze die schöne entspannte Zeit beim Putzen ruhig für ein kleines Plauderstündchen mit deinem Pferd. Nachher beim Reiten musst du dich konzentrieren und hast dazu keine Zeit mehr. Aber jetzt könnt ihr über alles reden und lernt euch besser kennen.

Zur Körperpflege ist Putzen natürlich auch gedacht. Fang vorn am Hals an und arbeite dich erst mal mit dem Igelstriegel in kreisenden Bewegungen bis zur Kruppe durch. Am besten ist es, wenn du dabei in etwa auf Schulterhöhe des Pferdes stehst. Von hier aus kommst du an sehr viele Stellen gut heran. Danach wanderst du weiter nach hinten. Wenn du auf der linken Seite stehst, kannst du am geschicktesten mit der linken Hand putzen, auf der rechten Seite mit der rechten Hand. Und da du ja lernen sollst, mit beiden Händen gleichmäßig zu arbeiten, ist es sowieso sinnvoll, auch immer wieder beide zu benutzen. Sehr behutsam musst du an allen knochigen Stellen des Pferdekörpers vorgehen, denn hier ist er sehr empfindlich. Das gilt zum Beispiel für die Beine und die Wirbelsäule im Rücken. Die großen Fellflächen, am Hals, an der Brust und der Seite, kannst du durchaus auch schön kräftig massieren. Das mögen viele Pferde lieber, als wenn sie das Gefühl haben, deine hauchfeine Berührung sei das Landen einer Fliege, die gleich pikst. An den Flanken und am Bauch

sind manche Pferde sehr kitzelig. Hier sind wieder Gefühl und Beobachtungsgabe gefordert.

Mit liebevoller Pflege und Behandlung kannst du dich auch für die schönen Reitstunden bedanken, die hinter und vor dir liegen.

Eine starre Gebrauchsanweisung gibt es nicht, denn Pferde sind ja Lebewesen und jedes reagiert anders. Wenn du dein Pferd so putzt, dass es ihm gefällt, wird es sich entspannen und den Kopf senken. Manchmal geht die Entspannung so weit, dass es die Augen halb schließt und sogar ein kleines Nickerchen macht, während du dich mit Mist- und Schmutzkrusten herumplagst.

Gemeinsam macht das Putzen riesigen Spaß. Schön, wenn man so viel Zuwendung bekommt!

Gäääääähn, was für eine himmlisch entspannende Massage!

Gönn ihm diese kleine Auszeit, denn nachher in der Reitstunde muss es ja wieder zu deinem Vergnügen arbeiten. Jetzt ist der Schmutz gelöst und die verklebten Stellen sind aufgeraut, nun beginnst du damit, den Staub aus dem Fell herauszubürsten. Hierfür nimmst du eine weiche Bürste. Mit langen, gleichmäßigen Bewegungen streichst du in Fellrichtung am Pferdekörper entlang. Hin und wieder musst du die Bürste durch das Abstreichen am Striegel säubern. Der Staub und Schmutz aus dem Striegel werden auf dem Boden ausgeklopft.

Sonderbehandlung für kritische Bereiche

Den empfindlichen Pferdekopf solltest du nur mit einer extraweichen Bürste reinigen oder mit einem Fellhandschuh vorsichtig säubern. Am knochigen Kopfbereich sitzen viele Nerven. Festes Schrubben mit einer harten Bürste würde hier ganz schön wehtun. Achte darauf, dass du die Ohren besonders gefühlvoll und behutsam behandelst. Es hilft dir später beim Auftrensen, wenn dein Pferd vorher die Berührungen an den Ohren als angenehm empfunden hat. Den Schweif und die Mähne solltest du möglichst in Ruhe lassen. Langhaare wachsen sehr langsam nach und durch ständiges Bürsten gehen zu viele aus. Sie werden aber zum Schutz gegen Insekten gebraucht. Meist reicht es, aus Mähne und Schweif den groben Schmutz, also Strohhalme, Dreckknubbel etc., mit der Hand herauszulesen und bei entsprechendem Wetter – nach Absprache mit dem Besitzer! – lieber mal den Schweif zu waschen.

Auch der Popo des Pferdes muss gesäubert werden. Hierzu verwendest du am besten einen großen Schwamm und lauwarmes Wasser. Pferde mögen es überhaupt nicht, wenn kaltes Wasser innen an ihre Schweifrübe kommt. Dann klemmen sie blitzartig die Pobacken zusammen und schnauben entsetzt. Solltest du mal im Pferdegesicht etwas auswaschen müssen, verwende bitte einen separaten Schwamm. Wer möchte schon gerne mit dem Poschwamm im Gesicht bearbeitet werden? Besonders gut solltest du auf schweißverklebte Stellen in der Sattellage oder da, wo der Bauchgurt sitzt, achtgeben. Auch hinter den Ohren und an der Nase, wo die Riemen der Trense liegen, schwitzen Pferde oft. Wenn du über die zusammengeklebten, harten Fellhaare den Sattel oder die Trense legst, kann das zu üblen Wundstellen führen.

Nachsorge ist wichtig!

Nach dem Reiten muss das Pferd ebenfalls ordentlich versorgt werden. Die verschwitzten Stellen werden glatt gebürstet oder, je nach Wetter und Menge des Schweißes, auch mit lauwarmem Wasser abgewaschen. Im Sommer, wenn es richtig heiß ist, genießen Pferde sogar eine Ganzkörperdusche mit dem Wasserschlauch. Dabei sollte aber kein Wasser in die Ohren oder das Gesicht gesprüht werden. Solche Stellen kann man mit einem Schwamm abwaschen. Wenn dein Pferd nach dem Reiten verschwitzt ist, solltest du einen zugfreien Platz für die weitere Versorgung aufsuchen, denn Pferde sind gegen Zugluft sehr empfindlich. Du kannst auch eine leichte Abschwitzdecke überlegen. Nun müssen noch die Hufe kontrolliert werden, wenn sich kein Steinchen festgetreten hat, o.k. – ansonsten nochmals auskratzen. Zur Versorgung nach dem Reiten gehören ebenso viel Ruhe und Freundlichkeit wie vorher, auch wenn du mal riesigen Durst hast oder lieber mit den anderen spielen möchtest. Nimm dir diese Zeit, ein Leckerli und ein paar nette Worte für die schöne Reitstunde sollten immer drin sein, wenn du dein Pferd in den Stall zurückbringst.

CHECKLISTE

Zum Putzen sollten folgende Utensilien bereitliegen:

Striegel
- Metallstriegel oder Plastikstriegel (behutsam benutzen, sie sind sehr hart und nichts für knochige Bereiche, nur für große Flächen)
- Igelstriegel oder Gummistriegel (haben Plastiknoppen und sind biegsam und weich)
- Federstriegel (nur für groben Koppelmatsch, vor Gebrauch bitte erklären lassen)

Bürsten
- Wurzelbürste (für groben Dreck an knochigeren Stellen oder, ganz vorsichtig benutzt, um mal die Mähne glatt zu bürsten)
- Weiche Bürste (wird oft auch Kardätsche genannt, zum Ausbürsten von Schmutz und Staub oder für alle empfindlichen Bereiche, wie auch den Kopf)

Fellhandschuh
- (den lieben Pferde am meisten an ihrem Kopf, er ist sehr anschmiegsam und fühlt sich an, als ob du es streichelst)

Hufkratzer
- (gibt's mit und ohne Bürstchen)

Schwämme
- (einer für vorn, einer für hinten)

Schweißmesser
- (um Wasser aus dem Fell abzuziehen)

Übrigens: Wenn das Pferd sich mal anders als sonst verhält oder wenn du siehst, dass es irgendwo eine offene Wunde oder eine Beule hat: Sag vor dem Satteln dem Reitlehrer Bescheid, damit er sich das anschaut!

Hinterhufe säubern – mit der richtigen Technik
ist das bald kein Problem mehr.

Pediküre für Pferde

Ein ganz wichtiger Punkt bei der Pferdeversorgung ist
die Hufpflege. Durch ein waches Auge kannst du viel
zur Gesundheit der Hufe beitragen, denn nicht jeder
Huf der Schulpferde wird täglich durch den Stallbesitzer
genauestens untersucht. Deshalb ist es für das Pferd
sehr wichtig, dass alle Pfleger mitdenken und, falls
etwas nicht stimmt, den Besitzer verständigen. Erst
kratzen wir die Hufe aus, sie werden dadurch von Mist
oder Steinchen befreit, die sich hier festgesetzt haben.
Große Steine drücken in die Hufsohle und können sogar
Prellungen – richtige blaue Flecken – verursachen, die
kleinen Steinchen können sogar ins Hufinnere wandern
und hier Hufgeschwüre verursachen.

Die Schulpferde, mit denen du es jetzt zu tun hast, sind
so brav und gut erzogen, dass sie wahrscheinlich von
selbst schon die Hufe heben. Aber du musst lernen,
wie es geht, damit du mit jedem Pferd klarkommst. Stell
dich seitlich neben die Schulter des Pferdes und streich
mit deiner Hand vom Ellbogen des Pferdes aus nach
unten am Bein lang bis zur Fessel. Sprich dein Pferd
dabei ruhig an und sag: »Gib Fuß.« Viele Pferde heben
ganz lieb schon die Beine, wenn du mit den Fingern
am Fesselkopf antippst. Die Dosierung musst du selbst
herausfinden, fang auf jeden Fall immer mit der sanf-
testen Methode an. Hebt dein Pferd das Bein nicht an,
kannst du Schrittchen für Schrittchen massiver werden,
vielleicht musst du sogar tatsächlich mal kurz deine
Schulter an das Pferd rempeln. Grob werden solltest du
aber auf keinen Fall! Gut bewährt hat sich immer ein
impulsartiges Klopfen mit den Fingern am Pferdebein,
bis es dieses anhebt.

Den Huf hältst du mit einer Hand fest und mit der
anderen kratzt du den Schmutz hinaus. Denk wieder
daran, dass auch deine linke Hand (oder bei einem
Linkshänder die rechte) geschickt werden muss.
Auf der rechten Seite des Pferdes hebst du den Huf
mit rechts und kratzt mit links, auf der linken Seite

umgekehrt. Säubern musst du nun die Strahlfurchen, das sind die Vertiefungen um den dreieckigen Strahl und die Hufsohle. Geh behutsam mit dem Metall des Hufkratzers um, damit du das Pferd nicht verletzt. Wenn du fertig bist, wäre es sehr nett, auch deinem Pferd Bescheid zu sagen: »So, jetzt kannst du das Bein wieder absetzen«, und es nicht einfach runterplumpsen zu lassen. Am Hinterbein gehst du ähnlich vor. Du stehst seitlich am Pferd, streichst am Bein hinunter oder tippst es an, sagst: »Gib Fuß«, nimmst das Bein hoch und platzierst es auf deinem Oberschenkel, dann ist es nicht so schwer zu tragen. Nicht erschrecken, wenn das Pferd jetzt vielleicht seinen Fuß viel höher anzieht als nötig oder wenn es sogar diesen ganz lang nach hinten ausstreckt. Das sind zum Teil Streck- und Dehnreflexe. Manche Pferde haben auch schon steifere Gelenke und können das Bein nicht plötzlich so schnell anwinkeln. Halte es einfach locker fest, folge seiner Bewegung und danach kannst du es ganz ruhig auf deinem Oberschenkel ablegen.

Wenn du mal einen besonders heftigen Kandidaten erwischt oder etwas Angst hast, dann frage ruhig einen Größeren, ob er dir mal eben helfen kann. Teamwork gilt ja beim Reiten nicht nur für dich und dein Pferd,

sondern für alle Beteiligten, also auch für alle anderen Reiterkameraden und den Reitlehrer.

Was bei den Hufen zu beachten ist

Der Pferdehuf ist ein ganz empfindlicher Körperteil. Er ist nicht einfach ein festes, starres Ding, sondern hat ein sehr kompliziertes Innenleben. Die ganze Hufkapsel spreizt sich bei Bewegung. Dadurch federt der Strahl und sorgt dafür, dass die Huflederhaut gut durchblutet wird, was für das Wachstum der Hufe ganz wichtig ist. Nun wird dir sicher klar, warum Pferde immer viel Bewegung brauchen, um gesund zu bleiben. Auch eine saubere, trockene Einstreu ist ganz wichtig, damit der Huf keine Krankheit bekommt und immer in gutem Zustand ist. Das Hufhorn wächst vom Kronrand aus nach unten etwa einen Zentimeter pro Monat, Hufe müssen deshalb regelmäßig vom Hufpfleger oder Schmied in Form geraspelt werden, das gilt besonders dann, wenn ein Pferd nicht ganz gerade läuft und sich deshalb auch sein Hufhorn ungleichmäßig abnützt. Das muss dann von einem Fachmann korrigiert werden, damit die Hufstellung wieder stimmt.

Entdeckst du mal schlecht riechende, weiche Stellen am Strahl, könnte das Strahlfäule sein, und die muss behandelt werden. Bitte unbedingt der verantwortlichen Person im Stall Bescheid sagen. Das gilt auch für größere ausgebrochene Stellen an der Hufsohle oder im Hufrand und alles, was dir nicht ganz geheuer vorkommt.

TIPP Wenn sich's ergibt, schau doch mal bei der Arbeit des Hufschmieds zu. Da lernst du eine Menge über Hufe, wie man Fehlstellungen korrigiert und durch Hufeisen oder einen Kunststoffbeschlag das Hufhorn schützt. Aber verhalte dich bitte ruhig, sonst wird vielleicht das Pferd nervös und das muss bei der Hufpflege schön brav stehen bleiben.

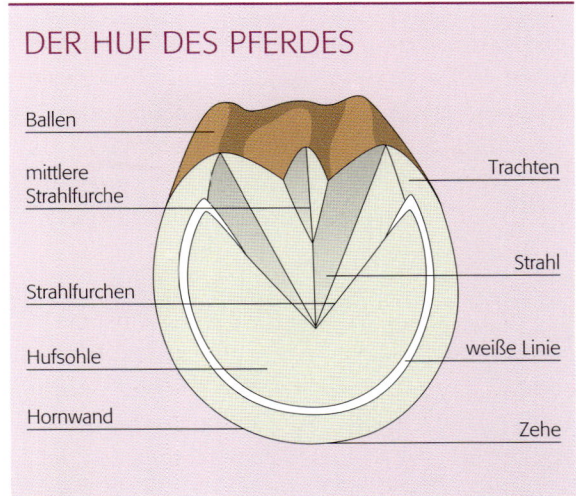

DER HUF DES PFERDES

- Ballen
- mittlere Strahlfurche
- Strahlfurchen
- Hufsohle
- Hornwand
- Trachten
- Strahl
- weiße Linie
- Zehe

Die Psyche des Pferdes

Das Pferd lebte jahrtausendelang als Steppentier in freier Wildbahn. Sein Leben spielte sich in einer Herde ab, die dem Pferd Schutz und Sicherheit bot. Bis heute hat es sich Instinkte und Eigenschaften aus dieser Zeit erhalten. Pferde sind nicht gern allein. Sie lieben die Gesellschaft ihrer Artgenossen und sind sehr kontaktfreudig. In ihrem Zusammenleben verständigen sie sich über gegenseitiges Beriechen, ausdrucksvolle Körpersprache und viele unterschiedliche Laute. Wenn du bei einem späteren Ausritt einmal an einer Koppel mit anderen Pferden vorbeireitest, kannst du sicher erleben, dass diese ebenso wie dein Pferd mal eben kurz miteinander plaudern möchten.

Sicher in der Herde

Innerhalb der Herde besteht eine strenge Rangfolge und die wird nicht gerade zimperlich verteidigt. Der Boss hat das Sagen, ihm oder ihr – es kann auch eine Stute sein – folgt man, lässt sich vom Futterplatz verdrängen, macht den Platz an der Tränke frei und das beliebte Schattenplätzchen. Aber der Boss sagt nicht nur, wo's langgeht, er hat auch einen ganz schön anstrengenden Job: Immer muss er hellwach sein, um bei drohender Gefahr die Herde warnen zu können. Er muss sie beschützen und verteidigen. Er muss entscheiden, wann und wohin sie flüchtet. Die anderen Pferde fühlen sich bei ihm gut aufgehoben, sie vertrauen ihm blind.

Wenn es keine Herde gibt, musst du der Boss des Pferdes sein, dann respektiert es dich und vertraut dir. Damit du ein guter Boss sein kannst, musst du die Sprache der Pferde erlernen. Dieser Job erfordert Mut und Reaktionsschnelligkeit, Klugheit und Erfahrung. Aber du schaffst das bestimmt!

Bei Gefahr: ab durch die Mitte

Pferde waren in der Steppe eine beliebte Beute von Raubtieren. Ihre einzige Überlebenschance bestand darin, die Gefahr blitzschnell zu erkennen, zu reagieren und abzuhauen!

Auch dieser Instinkt hat sich bis heute in ihrem Inneren erhalten – damit musst du rechnen. Immer wieder wirst du erleben, dass dein Pferd vor vielen dir harmlos erscheinenden Gegenständen erschrickt: Plastikplanen am Wegrand, plötzlich auffliegenden Vögeln oder vielleicht einem Traktor mit klappernder Ladung auf dem Anhänger. Wenn das passiert – vielleicht weil es die Papiertüte im Gebüsch für einen Tiger hält –, dann wird dein Pferd scheuen, umdrehen und abdüsen wollen! Wäre prima, wenn du in so einem Moment schon gelernt hast, genauso blitzschnell die Knie zuzumachen und oben zu bleiben. Pferde sind aber auch sehr neugierig, deshalb kann man ihnen in ruhiger, gelassener Atmosphäre, z. B.

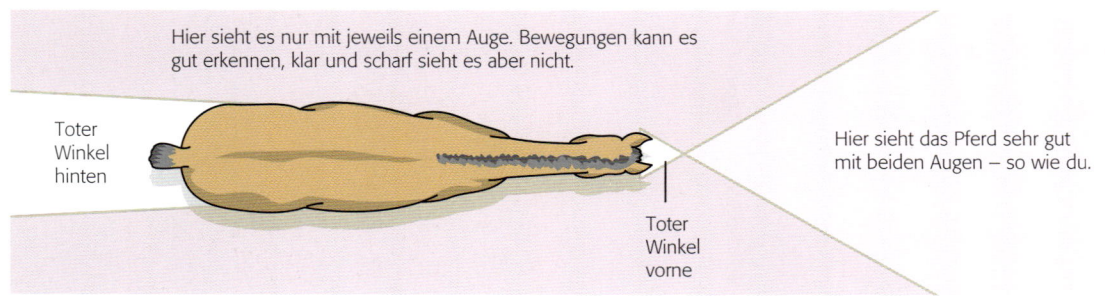

Hier sieht es nur mit jeweils einem Auge. Bewegungen kann es gut erkennen, klar und scharf sieht es aber nicht.

Toter Winkel hinten

Hier sieht das Pferd sehr gut mit beiden Augen – so wie du.

Toter Winkel vorne

Das Pferd hat einen tollen Rundumblick, aber nur nach vorne sieht es richtig scharf.

daheim auf dem Reitplatz, Regenschirme, Plastiktonnen und vieles andere zeigen. Dann können sie diese Gegenstände in aller Ruhe mit ihren gut funktionierenden Sinnesorganen – Augen, Ohren und Nase – untersuchen und feststellen, dass die ja vollkommen harmlos sind.

Gut riechen und hören

Der Geruchssinn eines Pferdes ist sehr gut, und so könnte es sein, dass dein Pferd schon misstrauisch wird, wenn es den Rauch eines Laubfeuers beim Bauern nur wittert.

Ein Pferd kann viel besser hören als du. Du brauchst also keinesfalls dein Pferd anschreien, um dir Gehör zu verschaffen. Im normalen Umgang ist eine ruhige, angenehme und weiche Stimmlage am besten. Bei dringend zu klärenden Unstimmigkeiten reicht es oft schon, den Tonfall etwas zu verschärfen.

So sieht ein Pferd

Die seitlich am Kopf sitzenden Augen gestatten dem Pferd, gleichzeitig nach beiden Seiten zu schauen. Wenn es den Kopf gesenkt hält, z.B. beim Grasen, hat es fast Rundumsicht. Direkt vor den Nüstern, etwa einen Schritt nach vorn und direkt hinter der Kruppe besteht allerdings ein toter Winkel, den das Pferd nicht einsehen kann.

Dem seitlichen Blick entgeht zwar keine Bewegung, allerdings wird die Umgebung nicht richtig scharf wahrgenommen. Daher ist es auch sehr schreckhaft und fluchtbereit. Nur der Blick durch beide Augen nach vorn lässt das Pferd alles ganz deutlich sehen.

Für den Umgang mit dem Pferd bedeutet dies: Wenn es sich etwas genauer anschauen will, muss es den Kopf drehen. Erlaube ihm das bitte, denn wenn dein Pferd gesehen hat, um was es sich handelt, wird es auch keine Angst mehr haben. Wenn du dich dem Pferd mit einem Leckerli näherst, solltest du das auch immer seitlich und nicht direkt von vorn tun, denk an den toten

Winkel direkt vor den Nüstern. Und hinten ums Pferd herum zu huschen ist ebenso tabu. Wenn es plötzlich diese Bewegung wahrnimmt – toter Winkel hinter der Kruppe –, erschrickt es, und das könnte eine Abwehrreaktion zur Folge haben, schlimmstenfalls ein kräftiger Tritt. Wahllos ausschlagen wird es bestimmt nicht, es sei denn, das Pferd ist verhaltensgestört. Wenn du also hinten um das Pferd herumgehst, sprich es mit einem freundlichen »Hallo, mein Freund, ich bin's« an. Dann weiß es, dass es sich nicht fürchten muss.

Die verschiedenen Sichtfelder des Pferdes werden durch unterschiedliche Gehirnhälften gesteuert. Also musst du dein Pferd alle Dinge, vor denen es sich fürchtet, mit beiden Augen ansehen lassen. Sonst könnte es sein, dass es auf dem Hinweg brav an einer Flatterplane vorbeigeht, aber auf dem Rückweg dieses Monster mit dem anderen Auge betrachtet und ziemlich zappelig wird. Nachts können Pferde sehr gut sehen, und weißt du, was ganz toll ist? Wenn dich dein Pferd durch seine freundlichen Augen in seine Seele gucken lässt.

Das Pferd muss Unbekanntes genau untersuchen.

VERSTÄNDIGUNG

Pferde untereinander

Pferde unterhalten sich durch Beriechen, Körpersprache und unterschiedliche Laute. Ein Koppelkamerad kann in Sekundenschnelle an winzig kleinen Gesten des anderen Pferdes erkennen, ob dieses Gesellschaft haben will oder ob er besser später noch mal anfragt.

Der **Gesichtsausdruck** spielt hierbei eine große Rolle: Ist ein Pferd freundlich und interessiert, schaut es mit großen, ruhigen Augen und nach vorne gerichteten Ohren umher. Wenn es aber ziemlich sauer oder sogar drohend ist, sind die Ohren flach nach hinten angelegt und die

Nüstern zusammengekniffen. Hat das Pferd große Angst, erkennst du das an den geblähten Nüstern und weit aufgerissenen Augen.

Durch seine **Lautgebung** kann es ebenfalls jede Menge ausdrücken. Pferde, die allein gelassen werden, können in heller Aufregung auch ebenso hell und laut nach den vermissten Kameraden wiehern. Schnuppert ein fremdes Pferd zur Begrüßung an ihnen, gibt's zum Teil interessante Quietschgeräusche zu hören. Bei Aufregung fauchen sie manchmal wie ein ausgewachsener Feuerdrache. Ist das Pferd völlig zufrieden und entspannt, wirst du

sehr angenehme, prustende und schnaubende Laute hören.

Durch **Körpersprache** können sich Pferde gegenseitig genau einschätzen. Sie sehen gleich, ob sich ihnen der andere in freundlicher Stimmung nähert oder ziemlich mies drauf ist. Nähert sich ungefragt ein rangniederes Tier einem ranghöheren, so reicht ein kurzes und schnelles Kopfherumdrehen mit angelegten Ohren, um den frechen Kandidaten wieder auf gebührenden Abstand zu schicken. Auch mit den Hinterbeinen wird oft durch leichtes Anheben als Drohgebärde signalisiert: »Sei vorsichtig, Freundchen, noch ein Schritt und ich kleb' dir eine.« Mögen sich Pferde sehr gern, dann kannst du beobachten, dass sie sich gegenseitig das Fell kraulen: Sie stehen dann Schweif an Nase und einer krault die Mähne oder den Rücken des anderen – der verzückte Gesichtsausdruck ist dabei wirklich bemerkenswert.

Du kannst ganz viel über Pferde und ihr Verhalten lernen, wenn du dir die Zeit nimmst, sie einfach mal ein Stündchen auf der Weide oder im Auslauf zu beobachten.

Mensch und Pferd

Das Pferd hat auch für deine Verfassung einen sicheren Blick. Wenn du dich ihm näherst, durchschaut es

Oh, du riechst aber gut.

dich sofort, vor ihm kannst du dich nicht verstellen.

Die große Chance des Menschen besteht darin, die Sprache der Pferde zu erlernen. Denn eigentlich fängt das Reiten schon damit an, dass du dein Pferd begrüßt und auf es zugehst. Du als Mensch musst es schaffen, das Pferd für dich zu interessieren und sein Leittier, also der Boss, in eurer Beziehung zu werden. Das Pferd muss dich wahrnehmen und vor allem auch ernst nehmen. Es soll auf jede Bewegung von dir reagieren. Das kann es aber nur, wenn du seine Sprache lernst und es dadurch deine Körpersprache erkennen kann. Sei selbstsicher und handle überlegt, damit das Pferd dich klar und deutlich versteht. Behalte die Ruhe, sei aber konsequent. Bewege dich natürlich und vor allem strahle Lebensfreude aus, denn die motiviert dein Pferd bestimmt zum Mitmachen. Im Umgang mit dem Pferd musst du Köpfchen beweisen, denn beim Kräftemessen hättest du schon nach zwei Sekunden verloren. Deshalb ist die Erziehung des Pferdes vom Boden aus – also nicht als Reiter – so wichtig. Wenn du dich mal besser auskennst mit Pferden, wirst du merken, dass man mit guter Bodenarbeit sogar wunderbare Gymnastik für das Pferd erreichen kann.

Wenn dein Pferd angebunden am Putzplatz steht und du möchtest,

dass es ein paar Schritte zur Seite tritt, reicht bei gut erzogenen Pferden oft schon ein »Geh rum!«. Klappt das nicht auf Anhieb, stupst du leicht mit dem Finger in seine Seite. Wenn es sich nun nicht rührt oder sogar zu dir rüberrückt, muss eine spontane Handlung erfolgen. Du darfst dich nun keinesfalls zurückziehen, sondern musst konsequent und mit deutlich schärferer Stimme sagen: »Geh rum!!!«, und noch deutlicher stupsen. Das Pferd spürt an jeder Regung deines Körpers, ob es dir ernst ist oder ob du noch unsicher bist. Bis was passiert, musst du ruhig, konsequent und unmissverständlich deine Vorstellung deutlich machen. Sollte dein Pferd beim ersten kleinen Wink schon reagiert haben, dann musst du ihm auch sofort eine gute

Rückmeldung geben, indem du freundlich »brav« sagst. Die Belohnung besteht immer darin, dass die Forderung aufhört. Wenn du weiter stupst, obwohl dein Pferd ja tut, was du wünschst, kann es nicht kapieren, was es eigentlich soll, und wird vielleicht stinkig, was für euch beide nicht so prickelnd ist.

Denk mal an deinen eigenen Alltag. Wenn dich jemand zu Unrecht straft, bist du nicht nur sehr sauer, sondern auch schwer enttäuscht, oder!? Also beherzige Folgendes: »Strafen« streichst du aus deinem Wortschatz! Freddy Knie, ein großer Zirkusdirektor, hat einmal über die Pferdeerziehung gesagt: »Nicht gelobt ist schon genug gestraft.« Was für eine schöne Einstellung!

Was für ein schöner Vertrauensbeweis.

Fit fürs Pferd

Das Glück der Erde liegt auf dem Rücken der Pferde. Stimmt, oder?! Damit das so bleibt, müssen du und dein Pferd gesund sein – dazu sind aber nicht nur Basiswissen und eine ganze Portion Technik notwendig, sondern auch Gefühl. Und das zu entwickeln steht jetzt auf dem Programm.

Reiten ist ein toller Sport

So ein Pferd muss ganz schön fit sein, wenn es Runde um Runde in der Bahn drehen oder Berg rauf, Berg runter durchs Gelände flitzen soll. Wie sieht es eigentlich mit deiner eigenen Fitness aus?

Glaub ja nicht den Leuten, die sagen: Beim Reiten sitzt man ja nur auf dem Pferd und lässt sich rumtragen. Reiten ist ein ganz schön anspruchsvoller Sport, der viele Muskelgruppen beansprucht. Jetzt hast du die Gelegenheit, dich durch Aufwärmübungen vor dem Reiten, durch Turnen auf dem Pferd, durch Voltigieren und Falltraining so vorzubereiten, dass dein Körper diesen tollen Sport auch unbeschadet mitmachen kann. Und dass du bei einem längeren flotten Galopp im Gelände zukünftig nicht aus der Puste gerätst!

Punkten durch Wissen

Ganz wichtig ist es auch, dass du einige theoretische Kenntnisse über den Bewegungsablauf des Pferdes und seine Grundgangarten – Schritt, Trab und Galopp – erwirbst. Das ist nicht schwierig, denn gleichzeitig kannst du die Theorie bei ausgiebigen Fühlübungen auf dem Pferderücken in die Praxis umsetzen. Behutsam und sicher betreut vom Reitlehrer kannst du dich mit den Pferdebewegungen in aller Ruhe vertraut machen.

Und du lernst noch viel mehr: Wie wichtig die richtige Atmung beim Reiten ist und dass sich ein Pferd mit ganz wenigen, feinen Körpersignalen von dir kreuz und quer durch die Bahn steuern und auch wieder anhalten lässt. Bei geführten Spaziergängen bekommst du einen ersten Eindruck, wie schön es ist, mit dem Pferd in Feld und Wald unterwegs zu sein.

Durch dick und dünn

Ein Pferd kann sich dir nicht einfach durch Worte mitteilen. Deshalb ist es an dir zu erkennen, ob es ihm gut oder schlecht geht. Wenn ein Pferd krank ist, dann macht Reiten euch beiden keinen Spaß. Das akzeptierst du sicher ohne zu zögern. Und du verstehst sicherlich auch, dass dann etwas Fürsorge guttut. Genießt du es nicht auch, wenn du krank bist und dann daheim einfach mal liebevoll umsorgt wirst?

Dein neuer Sportpartner ist ein völlig andersartiges Lebewesen. Damit es überhaupt versteht, was du von ihm erwartest, musst du die Pferde-Sprache lernen. Wie das geht, erfährst du im Kapitel »Bodenarbeit«.

Vorbereitungen aufs Reiten

Ein Pferd muss vor der Arbeit erst eine Weile aufgewärmt werden. Das ist sehr wichtig für seine Gesundheit. Muskeln, Sehnen, Bänder und Gelenke könnten bei einem »Kaltstart« sonst ziemlichen Schaden nehmen. Deshalb legt man nicht gleich im wilden Galopp los, sondern gönnt dem Pferd die Zeit von 10 bis 15 Minuten, um im Schritt seinen Bewegungsapparat mit allen Funktionen in Gang bringen zu können.

Ein bisschen hängt die Dauer auch davon ab, ob du es aus der Box holst, wo es stundenlang recht unbeweglich gestanden hat, oder von der Koppel, auf der es schon einige Ründchen toben konnte. Boxenpferde benötigen eine längere Aufwärmphase. Auch die Außentemperatur

spielt eine Rolle, denn im Winter bei Minusgraden dauert es länger, bis die Muskulatur gut durchblutet wird, als im Sommer, wenn es schön warm ist.

Aufwärmen am Boden

Auch für dich ist es wichtig, vor den Reitstunden ein paar Aufwärmübungen zu machen. Dabei gelten die gleichen Maßstäbe wie für das Pferd: Kommst du gerade aus der Schule und hast dich kaum bewegt, sollten die Übungen vielseitiger ausfallen. Bist du schon seit zwei Stunden am Stall und hast dich viel bewegt, kann die Zeit kürzer sein. Das Aufwärmen vor der Reitstunde beugt Verletzungsgefahren vor, die durch steife Gelenke und nicht

Cool, fast wie im Ballett.

TIPP Beim Warmlaufen hast du Gelegenheit, eine regelmäßige Atmung zu üben. Richtiges Atmen ist auch beim Reiten sehr wichtig, denn damit gibst du deinem Pferd ganz viele Impulse. Der leiseste Hauch deines Atems wird vom Pferd wahrgenommen.

gelockerte Muskulatur drohen. Durch das Vortraining wirst du geschmeidiger und kannst mit deinen Muskeln schneller reagieren. Dreh gemeinsam mit anderen Kindern ein paar Runden um den Reitplatz, ein bisschen Jogging hat noch keinem geschadet. Lass dir selbst ein paar schöne Übungen einfallen, denn auch in Zukunft – als Reiter – wird immer wieder deine Phantasie gefragt sein. Denke daran, immer regelmäßig dabei zu atmen,

das erhöht auch deine Ausdauer. Beim Einatmen achtest du darauf, dass sich dein Bauch spürbar ausdehnt. Gut ist es, wenn du durch die Nase einatmest und durch den Mund hörbar wieder ausatmest.

Nach dem Laufen, wenn dein Körper schon warm ist, kannst du an einem Kästchen oder der Reitplatzumzäunung ein paar Dehnübungen für deine Beinmuskeln machen oder etwas gezielte Gymnastik. So, aber nun geht's los, jetzt wird auf dem Pferd weitergeturnt. Viel Spaß dabei!

Geführtes Turnen

Das geführte Turnen bietet die wunderbare Möglichkeit, in kleinen Teams vieles gleichzeitig zu lernen. Die Pferde sind nun unterschiedlich ausgerüstet. Manche tragen

Fang den Ball, Julia!

eine dicke Decke mit einem Griffgurt auf dem Rücken, andere schon den Sattel. Jedes Pferd wird von einem Helfer an Halfter und Strick gehalten oder geführt. Dadurch lernt dieser schon mal zielgenaues Führen auf der Reitbahn. Gleichzeitig kannst du mit den Turnübungen auf dem Pferd einige Grundsteine für deine Reiterkarriere legen. Ihr beide, der Führhelfer und du als Turner, lernt das Pferd genauer kennen und bekommt so auch richtig Vertrauen zu ihm. Nach einer Weile werden dann die Rollen getauscht. Jetzt führst du das Pferd und dein Führhelfer darf turnen. Sämtliche Handgriffe rund um das Pferd werden aus jeder Position geübt. Mal bist du Reiter, mal Pfleger oder Führer, manchmal auch einfach nur Reiterkamerad und Freund. Jeder im Team hat »seine« feste Aufgabe, ihr gebt aufeinander acht und euch gegenseitig auch noch Denkanstöße. Prima, denn so macht Lernen wirklich Spaß!

Ich sehe schon die Fragezeichen in deinen Augen: Wie komme ich jetzt da rauf??? Kein Problem. Mit der Räuberleiter und ein bisschen Schwung geht das sehr gut. Du stehst auf Gurthöhe beim Pferd und fasst mit beiden Händen beide Gurtgriffe. Dein linkes Bein beugst du zur Räuberleiter, das rechte bleibt dein Stand- und Absprungbein. Du und dein Aufstiegshelfer zählen jetzt gemeinsam: eins, zwei, drei – hopp! Auf »Hopp« springst du ab und dein Helfer schiebt dich hoch. Ein bisschen musst du schon noch mit den Armen ziehen! Uff – gelandet! Bei einem Aufsprung mit etwas zu viel Schwung musst du darauf achten, dem Pferd nicht ungebremst in den Rücken zu krachen. Selbst wenn du ein Federgewicht bist, ist das für deinen Partner nicht angenehm, und auch ein braves und wohlerzogenes Schulpferd

TIPP

Willst du etwas für deinen Mut, dein Reaktionsvermögen, dein Balance- und Rhythmusgefühl sowie dein Vertrauen zum Pferd tun? Dann musst du Turnübungen auf dem Pferd machen. So lernst du mit ganz viel Spaß das Reiten.

kann da mal sauer werden. Da musst du dich dann eben mit etwas Muskelkraft in den Griffen abfangen. So, jetzt sag erst mal dem Pferd ein nettes Hallo. Beug dich vor auf seinen Hals und streichle es sanft. Dabei kannst du ihm ruhig ein paar liebe Worte ins Ohr flüstern und ein bisschen mit ihm schmusen. Auch das Pferd möchte ja wissen, mit wem es da zu tun hat.

Sitzübungen und Ballspiele auf dem Pferd sind zum Wohlfühlen und für dein Balancegefühl gedacht. Setz dich jetzt mal verkehrt herum auf den Sattel, sodass du nach hinten über die Kruppe deines Pferdes schauen kannst. Das ist eine interessante Aussicht, nicht wahr!? Sitzen kann man so schon, aber richtig bequem ist es nicht. Der Sattel ist ja auch extra so gebaut, dass man ihn andersherum benutzt. Aber diese ersten Runden verkehrt herum sitzend werden dir helfen, ein sicheres Gefühl auf dem Sattel zu bekommen. Schön, wie du das machst, das lässt ja hoffen, dass es beim Voltigieren demnächst so richtig rundgehen kann.

Voltigieren

Beim Voltigieren wird das Pferd nicht mehr geführt, sondern läuft in einem großen Kreis an der Longe um den Longenführer herum. An der Longe kann das Pferd nun auch in den schnelleren Gangarten Trab und Galopp bewegt werden. Trotzdem fangen wir mit der Turnerei erst wieder im Schritt an. Der ist nun viel fleißiger als vorhin beim geführten Turnen und fast fühlt es sich schon so an, als ob du alleine mit dem Pferd unterwegs wärst.

Voltigierpferde sind meistens sehr gut ausgebildet und vertrauen der Stimme des Longenführers auch in vielleicht mal brenzligen Situationen. Voltigieren macht viel Spaß und es fördert deine Geschicklichkeit. Durch den nahen Kontakt zum Pferderücken ohne Sattel und die Geborgenheit an der Longe kann man super lernen, sich den unterschiedlichen Bewegungen des Pferdes in allen Gangarten anzupassen. Gleichzeitig verschwindet die Angst vor der schnelleren Vorwärtsbewegung des

TIPP Da ihr eine Gruppe von mehreren
Kindern seid und nicht alle auf einmal
drankommen können, wäre es eigentlich eine gute Idee,
die Wartezeit durch Aufsteigeübungen am Holzpferd zu
verkürzen.

Pferdes. Da das Ganze nicht stocksteif, sondern in
spielerischer Form abläuft, traut man sich auch viel mehr
zu und außerdem wird wieder einmal – wie schön – der
Teamgeist der ganzen Gruppe gefördert. Enges Zusam-
menarbeiten und Vertrauen zwischen dem Ausbilder,
den anderen Kindern, dir und dem Pferd sind ganz
wichtig für diese teils akrobatischen Übungen.

Dein Pferd ist jetzt mit einem Voltigiergurt und einer Decke zur Schonung seines Rückens ausgerüstet. Es trägt
eine Trense ohne Zügel. Nach einer Weile Aufwärmen
und Dehnen an der Longe schnallt der Ausbilder nun
Ausbindezügel seitlich vom Gurt in die Trensenringe.
Diese dienen dazu, das Pferd in einer die Gesundheit

erhaltenden Haltung laufen zu lassen, denn bis jetzt bist
du ja Turner und kannst nicht auf das Pferd einwirken.

Beim Aufsteigen in der Bewegung gehst du folgendermaßen vor:

- Du und der Helfer lauft im gleichen Schrittrhythmus
wie das Pferd an der Longe mit. Wieder wird gezählt:
eins, zwei, drei – hopp, aber auch das im Takt des
Pferdeschrittes.
- Je nachdem, wie groß oder klein das Pferd oder du
bist, kannst du dich nun mit beiden Händen am
inneren Gurtgriff festhalten oder – wenn es geht –
sogar beide Griffe fassen.
- Wenn du abspringst, schiebt dich gleichzeitig dein
Helfer nach oben. Das kann jetzt im Schritt schon ein
wenig mit Schwung sein.
- Solltest du nicht gleich hochkommen, darfst du auf
keinen Fall mit beiden Beinen krampfhaft den Pferdebauch umklammern oder ihm in die Flanken treten.
Fang lieber noch mal neu an, das ist angenehmer
fürs Pferd.

Mit der Räuberleiter von rechts aufs Holzpferd – super!

Das ist eine fast perfekte »Fahne«.

TIPP Damit das Voltigierpferd auch weiterhin gern mitarbeitet, führt ihr es zum Schluss mit ausgeschnallten Ausbindern zur Entspannung noch ein paar Minuten auf dem Platz herum.

Oben auf dem Pferd angekommen, setzt du dich erst mal richtig zurecht, und zwar nah an den Gurt und gleichmäßig auf beide Pobacken. So, nun sagst du dem Pferd Hallo. Die **Mühle**, eine Vier-Phasen-Übung, bringt dich in alle Sitzpositionen. Du sitzt mit Blick nach vorn und nimmst nun als Erstes dein rechtes Bein über den Pferdehals auf die Innenseite. Die Griffe lässt du in dem Moment los, wenn dein Bein vorbeimuss, und zwar einen nach dem anderen, so sicherst du dich immer mit einer Hand. Bist du zu weit nach innen gerutscht, erwischt dich die natürliche Erdanziehung und es geht

abwärts. Sitzt du mit dem Po zu weit nach außen, droht dir die gleiche Geschichte auch auf dieser Seite. Aber eine Gefahrensituation besteht nicht, denn es gibt ja noch die Gurtgriffe zum Festhalten und jede Menge fleißige Helfer, die genau beobachten, was passiert, und im Zweifelsfall ganz schnell zu Hilfe eilen. Sinn der Sache ist natürlich, dein Balancegefühl zu schulen. Du wirst schnell merken, wo du am geschicktesten sitzen und in der Bewegung des Pferdes mitgehen kannst. Als Nächstes streckst du dein linkes Bein über die Kruppe des Pferdes, bis du rückwärts sitzt. Nun fasst du auch an den Griffen um, damit deine Arme keinen Knoten machen müssen. Jetzt das rechte Bein über die Kruppe und du sitzt quer nach außen. Achtung! Erdanziehung! Nun noch mal das linke Bein über den Hals und der normale Vorwärtssitz ist wieder eingenommen. Wenn du etwas geübter bist, bemühe dich, die Übung im gleichen Takt, wie das Pferd läuft, zu machen.

Friederike beim Flankenabsprung.

So, jetzt kommt der Abstieg vom laufenden Pferd, das ist ebenfalls ganz easy:

- Du schwingst das rechte Bein über die Kruppe des Pferdes zu deinem linken herüber.
- Beug dich dabei ein klein wenig nach vorn, dann rutschst du mit etwas Schwung vom Pferd weg in die Zirkelmitte ab.
- Lass vorher beide Griffe gleichzeitig los.
- Die Landung sollte mit gebeugten Fuß-, Knie- und Hüftgelenken und einer ganz leichten Vorwärtslage deines Körpers erfolgen. Die gebeugten Gelenke federn die Wucht des Aufpralls ab.
- Deine Füße sollten ebenfalls abrollen und nicht platt und gleichmäßig aufgesetzt werden, denn das kann richtig wehtun beim Landen.
- Blicke nach vorn und laufe noch ein paar Schritte weiter im gleichen Tempo des Pferdes mit.

TIPP Im Sommer, wenn es schön warm und trocken ist, findet sich sicher am Reitstall eine Wiese, auf der du vor dem Reiten Purzelbäume üben kannst. Im Winter legst du schon zu Hause auf dem Teppich los.

So, jetzt hast du dich aber tapfer gehalten. Noch Lust auf Mehr? Zum krönenden Abschluss dürfen die ganz Mutigen heute sogar auf dem Pferd stehen. Allerdings halten wir beim ersten Mal dazu lieber an. Super gemacht! Und wenn das schon geklappt hat, dann steht einem schönen Galopp in der nächsten Voltigierstunde ja nichts mehr im Wege. Viel Vergnügen!
In Zukunft hab Ihr vielleicht Lust, das ganz vorsichtig im Schritt zu probieren. Das ist kein Hexenwerk, man muss sich nur an den Rhythmus gewöhnen.

Wow – spektakulärer Abflug von Julia!

Falltraining

In deinem künftigen Reiterleben wirst du es wohl nicht vermeiden können, auch mal vom Pferd zu purzeln. Das macht aber nichts, das passiert sogar hin und wieder den Profis. Es gibt aber eine Menge Übungen, die dir erstens helfen, oben zu bleiben, und zweitens eventuelle Stürze nicht so schlimm werden lassen.

Oft stürzt der Reiter aus Angst. Wenn sich der Reiterkörper in einer riskanten Situation vor lauter Angst völlig steif macht, kann er den Bewegungen des Pferdes nicht mehr weich folgen. Macht plötzlich das Pferd auch noch einen großen Satz zur Seite, dann geht es abwärts. Also müssen wir nicht nur an der Technik des Fallens arbeiten, sondern schon vorher deine Angst bekämpfen, damit du erst gar nicht herunterfällst. Ein paar Lockerungs- und Aufwärmübungen vor dem Reiten sind da der beste Weg. Deine Muskulatur kann dann im Zweifelsfall viel schneller reagieren, weil sie schon gelöst ist.

FÜR ALLE FÄLLE

Kennst du den alten Kinderreim: Hoppe, hoppe Reiter – wenn er fällt, dann schreit er? Von wegen! Mit diesen Fallübungen wird man dich nicht (oft) schreien hören.

Du solltest dich zukünftig bei jedem Turnunterricht freiwillig und gern für jede Form von Purzelbäumen melden. Rolle rückwärts, Rolle vorwärts, über die linke Schulter abrollen, dann über die rechte Schulter – gerade diese Abrollübungen, die du als junger, noch gelenkiger Mensch sehr gut beherrschst, schützen dich bei einem Sturz vom Pferd. Du lernst, deine Gliedmaßen an den Körper zu ziehen und wie ein Igel ins Rollen zu kommen. So können Arm- und Beinbrüche vermieden werden und die Gefahr, direkt auf dem Rücken zu landen, ist geringer.

Jetzt loslassen und über den Schweif auf den Boden abrutschen lassen, Theresa.

Die Übungen auf dem Pferd helfen dir, die Angst vor der Höhe bei einem drohenden Sturz zu überwinden. Gerade Voltigieren ist hier sehr nützlich, denn dabei wird es öfter mal unvorbereitet abwärts gehen. Beim Falltraining hoch zu Ross werden nun ganz unterschiedliche Abstiegs- und Absprungmöglichkeiten durchgespielt. Wenn du erst mal merkst, dass du ja selbst entscheiden kannst, ob und wann du im Trab oder Galopp vom Pferd springst, wird auch die Angst davor immer kleiner.

Wie beim Voltigieren bewegt sich das Pferd an der Longe. Wir fangen mal im Schritt an, man muss ja nichts übertreiben. Es kostet schon eine gewisse Überwindung, aus der Hocke vom laufenden Pferd herunterzuspringen. Aber lass dir Zeit, das Pferd geht einen fleißigen, gleichmäßigen Schritt und läuft geduldig so weiter, bis du dich zum Sprung in die Tiefe entschlossen hast.

Achte bei der Landung vor allem darauf, dass deine Beine nicht ganz gestreckt sind. Mit den angewinkelten Knie- und Hüftgelenken musst du die Wucht des Aufpralls weich abfedern können. Sonst schadet es deinem Körper mehr, als es nutzt. Falls du ins Trudeln kommst und nach vorne kippst, machst du sofort die Igelrolle. Der Reitplatzboden ist schön weich und mit diesem selbst gewählten Zeitpunkt wird es auch keine Bruchlandung. Und vielleicht stehen auch ein paar »Kollegen« bereit, um dich aufzufangen.

Solche Übungen oder auch das Abrutschen über die Kruppe des Pferdes dienen vor allem dazu, dir Mut zu machen. Wenn du plötzlich feststellst, dass alles halb so schlimm ist, ist die Angst wie weggeblasen. Außerdem kann man üben, dass es bei einem Sturz oder Abrutschen vom Pferd auch die Möglichkeit gibt, sich wieder zu fangen und auf den Füßen zu bleiben. Die meisten Stürze entstehen nämlich nach einer langen Wackel- und Hängephase. Wenn du damit umgehen lernst, dann meisterst du viele solcher Situationen. Ganz toll wäre es, wenn eure Eltern ein paar ausrangierte Gymnastikmatten besorgen könnten und diese mit zum Stall brächten.

Dann könntest du nämlich vom Holzpferd aus so richtige Seitenkippübungen machen, dich einfach seitlich fallen lassen. Danach steht einer Ausbildung zum »Stuntman« nichts mehr im Wege.

Ob Evi bei diesem »wilden Ritt« wohl oben bleibt?

Die Grundgangarten

Wenn du später als Reiter richtig und gesundheitsfördernd auf dein Pferd einwirken willst, musst du auch genau den Bewegungsablauf seiner vier Beine kennen. Die Grundgangarten beim Pferd sind Schritt, Trab und Galopp. Die Beine werden in einer ganz bestimmten Reihenfolge abgehoben und wieder aufgesetzt. Das nennt man die Fußfolge.

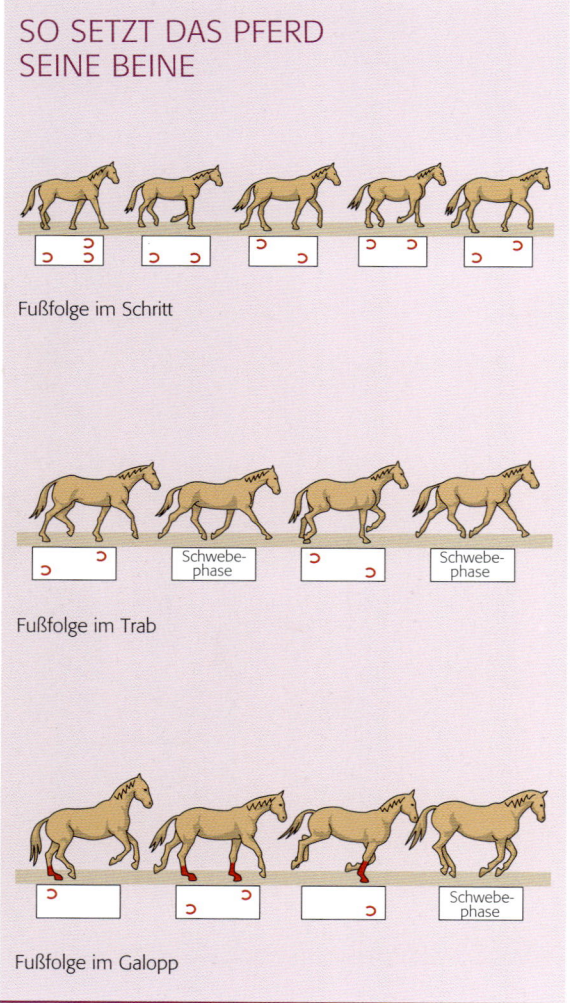

SO SETZT DAS PFERD SEINE BEINE

Fußfolge im Schritt

Schwebephase   Schwebephase

Fußfolge im Trab

Schwebephase

Fußfolge im Galopp

Der Schritt

ist eine schreitende Bewegung im Viertakt. Das Pferd setzt seine Füße zum Beispiel in dieser Reihenfolge, die sich dann immer wiederholt: vorne rechts, hinten links, vorne links und hinten rechts. Die Schritte erfolgen in einem gleichmäßigen Zeitabstand und in diagonaler Reihenfolge, also schräg über Kreuz laufend. Im ganz normalen Schritt sollten die Hinterfüße etwa in die Abdrücke der Vorderfüße treten. Ist das Pferd erst mal gelöster, werden die Schritte auch raumgreifender. Nun können die Hinterfüße mehr als eine Huflänge über die Abdrücke der Vorderfüße hinausgreifen. Wenn ein Pferd im Schritt zappelig ist, kann es zum Passgang kommen. Das heißt, es setzt dann den Vorder- und Hinterfuß einer Körperseite gleichzeitig vor und auch ab. Bei manchen Gangpferderassen ist der Pass angeboren und auch erwünscht.

Der Trab

ist eine Folge von aneinandergereihten Tritten im Zweitakt. Dabei werden zwei diagonale Beinpaare – also die über Kreuz zusammenpassenden – gleichzeitig nach vorn bewegt und auch gleichzeitig wieder abgesetzt. Linkes Vorderbein mit rechtem Hinterbein oder rechtes Vorderbein mit linkem Hinterbein. Zwischen diesem Wechsel gibt es eine Schwebephase, weil das eine Beinpaar eher abhebt, als das andere landet. Schau dir

TIPP Begib dich mal auf alle viere und stell deine Hände und deine Füße ordentlich nebeneinander. Nun bewegst du zuerst deine rechte Hand nach vorn, dann dein linkes Bein, jetzt geht deine linke Hand vor und dann dein rechtes Bein usw. Gar nicht so einfach, oder?

genau die Zeichnung zur Trabfußfolge an, dort wird es ganz deutlich, wie das aussieht.

Der Galopp

ist eine Folge von Sprüngen im Dreitakt, nach denen jeweils eine Schwebephase folgt. Also pa-da-dam – Schwebephase, pa-da-dam – Schwebephase, pa-da-dam – Schwebephase usw. Schau mal auf die Zeichnung der Galoppfußfolge. Es sieht fast so aus, als ob das Pferd einen Bogen in der Luft galoppiere.

Erste Phase
Das Pferd hebt mit der Vorhand ab, sein Gewicht ist auf der gesenkten Hinterhand und nur ein Hinterfuß trägt dieses Gewicht.

Zweite Phase
Hier ist das Pferd relativ gerade, sein Gewicht trägt es auf einem diagonalen Beinpaar, z.B. linker Vorderfuß und rechter Hinterfuß.

Dritte Phase
Es kommt auf einen Vorderfuß herunter und nur der allein trägt sein gesamtes Gewicht. Grund genug, immer wieder unterschiedlich, d.h. links und rechts, anzugaloppieren.

Vierte Phase
Jetzt sind alle vier Füße in der Luft, das ist die Schwebephase.

Beim Galoppieren werden die Vorder- und Hinterfüße nicht nebeneinandergesetzt, sondern die Füße einer Körperseite greifen immer etwas mehr vor als die der anderen. Das Ganze nennt man dann, je nachdem, wie herum auf der Reitbahn geritten wird, Rechts- oder Linksgalopp. In der Regel greifen die inneren Beine weiter vor. Wenn es anders aussieht, also so, dass die äußeren Beine vorgreifen, galoppiert das Pferd im Außengalopp – auch Kontergalopp genannt. Passiert dir das als Anfänger, hast du wahrscheinlich irgendeine Hilfe

TIPP Um dir den Rhythmus der Gangarten einzuprägen, kannst du auf dem Pferd den Takt mitzählen: Schritt – Schritt – Viertakt
Mitzählen 1 – 2 –3 – 4   1 – 2 –3 – 4
Trab – Tritte – Zweitakt
Mitzählen 1 – 2   1 – 2
Galopp – Sprünge – Dreitakt
Mitzählen 1 – 2 –3   1 – 2 – 3

falsch gegeben. Gezielt abgerufen ist diese Lektion eine Übung für fortgeschrittene Dressurreiter.

Bist du jetzt platt nach so viel Theorie? Keine Angst, das kann man alles lernen. Jedenfalls weiß ich jetzt schon, was deine Worte beim ersten Galopp über Wiesenwege sein werden: »Wow, nur Fliegen ist schöner!«

Ein flotter Trab durchs Gelände macht beiden Spaß.

Fühlübungen mit und ohne Sattel

Nach den ganzen Turnübungen, die dir schon mal eine große Portion an Sicherheit auf dem Pferderücken gebracht haben, geht es nun weiter mit der Förderung deines Spürsinns.

Die folgenden Fühlübungen auf dem blanken Pferderücken lassen dich deinen eigenen Körper besser wahrnehmen, helfen, dich schneller in den Bewegungsablauf

Ist das toll auf deinem Rücken, Darija!

des Pferdes einzufühlen, bauen gegenseitiges Vertrauen auf und Ängste ab. Vor allem sollen sie dich aber auch entspannen und deinem jeweiligen Pferd ein ganzes Stückchen näher bringen. Wie kannst du es besser kennenlernen als durch – im wahrsten Sinne des Wortes – hautnahen Kontakt!?

Zu diesem Zweck trägt dein Pferd nun ein Halfter und wird am Strick von deinem Ausbilder oder einem der anderen Kinder gehalten und geführt.

Wie geht's nach oben?

Auweh, kein Griffgurt in Sicht, das Pferd ist deutlich größer als ein Shetlandpony, wie kommst du jetzt da rauf? Wieder ganz einfach mit der Räuberleiter: Mit der linken Hand greifst du in die Mähne des Pferdes, den linken Fuß winkelst du zur Räuberleiter an und ein Helfer schwingt dich hoch.

Die Landung sollte unbedingt geschmeidig und weich erfolgen, denn dein Pferd hat keinen Sattel und keine Decke auf dem Rücken. Es spürt nun noch deutlicher, wenn du ungebremst mit deinen zwei spitzen Sitzbeinhöckern – das sind die beiden Gesäßknochen, auf denen du sitzt – auf seinem Rücken landest.

Hier fühl' ich mich zu Hause

Nachdem du weich auf dem Pferderücken gelandet bist, begrüße erst einmal ausgiebig dein Pferd. Streichle das seidige Fell an seinem Hals und kraule seinen Mähnenkamm. Nun beugst du dich nach vorn über den Hals des Pferdes und lässt beide Arme ganz locker seitlich an seiner Schulter herunterhängen. Bleib eine Weile so und schließ die Augen. Pferdehaut riecht sehr gut, schmuse ruhig ein bisschen. Dann richtest du dich wieder auf und setzt dich ganz locker aufrecht hin.

Pferde mögen Kraulen am Mähnenkamm viel lieber als das Patschen mit
der flachen Hand auf den Hals, denn auch untereinander liebkosen sie sich durch Fellchenkraulen.

Das Pferd weiß nun, mit wem es da zu tun hat, und du
auch. Vom Voltigieren kennst du ja die Mühle bereits.
Nun machst du eine halbe Mühle, bis du verkehrt
herum auf dem Pferd sitzt, mit Blick nach hinten über

seine Kruppe. Prima, wie gut diese Übung jetzt sogar
ohne Griffgurt klappt. Du hast schon sehr viel Balancegefühl auf dem Pferd entwickelt. Mehr als seitlich
runterrutschen kann dir sowieso nicht passieren, denn
dein Pferd steht ja ruhig an einem Fleck, also steht der
völligen Entspannung gar nichts im Wege.

Nun legst du dich ganz flach mit deinem Oberkörper
auf Rücken und Kruppe des Pferdes. Dein Gesicht liegt
seitlich auf der Kruppe und deine Beine und Arme
hängen locker und entspannt am Pferd herunter. Schließ

So könnte ich ewig liegen bleiben: Auf dem Rücken eines Pferdes ist man einfach glücklich.

ruhig wieder die Augen und denke eine Weile an gar nichts. Ist das nicht herrlich gemütlich? Wenn du die flachen Handinnenseiten sanft an den Pferdebauch anlegst, spürst du seine ruhige, regelmäßige Atmung. Sein Körper ist weich und warm und ab und zu schaukelt es ein klein wenig, wenn es sich leicht bewegt, um mal den einen und mal den anderen Hinterfuß zu entlasten. Das fühlt sich fast so an, als ob es dich in den Schlaf wiegen würde. Na, wie fühlst du dich? Wahrscheinlich möchtest du gar nicht mehr herunterklettern, stimmt's!? Aber nun ist der nächste Teilnehmer dran. Langsam richtest du dich wieder auf und vollendest die halbe Mühle bis zum normalen Vorwärtssitz. Mit einem leisen »Schön war's, danke« verabschiedest du dich von deinem neuen Freund und rutschst seitlich am Pferd herunter.

Wendungen fühlen

Nun geht es im Zickzackkurs weiter. Jede Kurve bietet dir die Gelegenheit, die Biegungen unter deinem Allerwertesten fühlen zu können. Du lernst außerdem, wie du auch selbst das Pferd zu einer Wendung beeinflussen kannst, denn irgendwie musst du ihm das ja klarmachen, sonst würdet ihr zwei ständig geradeaus reiten.

Als Erstes schließt du die Augen und überlässt dich wieder ganz deinem Gefühl. Wenn das Pferd sich biegt, wird seine eine Körperseite hohl, die andere dehnt sich mehr aus. (Dazu kannst du auf der Seite 100 noch mehr lesen.) Du folgst weich den Bewegungen des Pferdekörpers. Wenn du locker bist und entspannt, können

Beobachter feststellen, dass sich dein Körper sanft in den Biegungen mitdreht.

Das ist auch richtig so. Beim selbstständigen Reiten kannst du eine Wendung allein durch die Drehung deiner Hüften einleiten. Dein inneres Bein – das zur Wendung hin zeigende – hängt schön lang nach unten. Du schaust in die Bewegungsrichtung und drehst dabei automatisch deine äußere Schulter nach vorne. Diese Bewegungen reichen dem Pferd, um zu fühlen, wohin du möchtest.

Auch fortgeschrittenere Reiter sollten ab und zu solche Fühlübungen machen. Beim selbstständigen Reiten ist man doch sehr abgelenkt und muss viel stärker auf das Pferd oder den Vordermann achten. Bei geführten Fühlübungen kann man sich voll und ganz auf das Spüren konzentrieren.

Jetzt bewährt es sich auch, dass jeder von euch schon vorher das Führen eines Pferdes gelernt hat. Diese Übungen können nämlich nur mit gehorsamen Pferden in einer sicheren Atmosphäre richtig wirken.

Atmung und Takt

Eine freie und regelmäßige Atmung ist ganz wichtig für gutes Reiten. Vielleicht weißt du das schon aus dem Sportunterricht. Beim Laufen zum Beispiel kannst du durch eine regelmäßige Atmung viel ausdauernder sein und schön rhythmisch laufen. Beim Reiten benutzt du die Atmung, um ein besseres Gefühl für den Rhythmus – den Takt – der Pferdebewegung zu bekommen. Dein Sitz und seine Einwirkung auf das Pferd durch Gewichtshilfen werden ebenfalls von der Atmung beeinflusst und in Schrecksituationen wirkt sich dein ruhiges

TIPP Faustregel in jeder Wendung: Innere Hüfte und äußere Schulter vor!

und gleichmäßiges Weiteratmen sehr beruhigend auf das Pferd aus. Also immer cool bleiben!

Probier mal Folgendes aus: Du sitzt auf dem Schritt gehenden Pferd. Zähle seine Schritte laut mit. Von der Fußfolge weißt du, dass der Schritt ein Viertakt ist: 1 – 2 – 3 – 4 usw. Wenn du den Takt hast, bist du still und atmest statt des Zählens vier Schritte lang ein und vier Schritte lang wieder aus. Wenn du jetzt langsamer atmest, wird auch dein Pferd einen ruhigeren Rhythmus finden. So kannst du auch vor jedem Durchparieren – das ist die Reiterbezeichnung für das Wechseln in eine langsamere Gangart oder aus dem Schritt zum Stehen – durch das Verlangsamen deines Atemrhythmus schon dazu beitragen, dass dein Pferd feiner reagiert.

Pferde sind so sensible Lebewesen, dass sie Stimmungsschwankungen sofort wahrnehmen und auch darauf reagieren. Wenn dir also vor Angst mal der Atem stockt, stockt er deinem Pferd wahrscheinlich auch. Solltest du in eine vermeintlich gefährliche Situation kommen, so ist es ganz wichtig, ruhig weiterzuatmen. Da musst du dich vielleicht dann ein bisschen dazu zwingen, aber es wird dir sehr helfen, dein Pferd auch wieder zu beruhigen.

Julia und Garuda fassen das nächste Tönnchen ins Auge.

Stockt dir der Atem beim normalen Reiten, dann verkrampft sich dein ganzer Körper und du kannst den
Bewegungen des Pferdes nicht mehr weich folgen.
Also ist es wichtig, auf dem Pferd gleichmäßig ein- und
auszuatmen. Das hält dich und deinen Körper locker
und gleichzeitig auch deinen Partner. Nicht nur für dich,
sondern auch für das Pferd ist eine rhythmische Atmung
wichtig. Es muss ja eine ganze Menge laufen in so einer
Reitstunde und da solltest du immer mal wieder ein
Gehör für seinen Atem haben. Wenn ein Pferd außer
Atem ist, dann braucht es eine Schrittpause wie auch
du beim Sport. Das kannst du von oben sehen, wenn
seine Nüstern weit gebläht sind und sich in schnellen
Bewegungen heben und senken. Fühlen kannst du es
auch an den schnell pumpenden Bewegungen seiner
Flanken. Pferde, die eine gute und entspannte Atmung
haben, werden sicher auch beim Reiten schön tief abschnauben. Dieses Abschnauben ist immer ein Zeichen
für die Losgelassenheit deines Sportpartners.

Halten und Anreiten mit Sitz und Atmung

Schon erstaunlich, wie viel die richtige Atmung doch
bewirken kann, nicht wahr. Mit Atmung und Sitzposition
kannst du auch die Gangarten deines Pferdes kontrollieren, den Zügel brauchst du da gar nicht.

Am einfachsten geht das an der Longe im Schritt. Hier
bist du gut aufgehoben, kannst dich voll und ganz auf
deinen und den Körper des Pferdes konzentrieren. Du
sitzt in entspannter Haltung gleichmäßig auf beiden
Pobacken. Deine Schenkel liegen ruhig am Pferdebauch,
dein Oberkörper ist aufgerichtet. Die Hände kannst
du locker auf die Oberschenkel legen, Zügel brauchst
du gerade nicht. Dein Pferd hat einen gleichmäßigen,
ruhigen Schrittrhythmus und du wirst jetzt versuchen,
es durch deinen Sitz und deine Atmung zum Halten
zu bringen. Bevor du anhalten willst, versuche dich auf

… und noch 'ne Runde! – fürs Reiten kann man sich auch am Boden fit machen.

Ist dir bewusst geworden, mit wie wenig körperlichem Aufwand du ein Pferd von deinen Wünschen überzeugen kannst, dann bist du eine ganzes Stück weitergekommen. Und dieses Wissen hilft dir, die manchmal aufkommende Angst zu besiegen.

deine eigene, ganz ruhige Atmung zu konzentrieren. Nun versuche mal, dich einfach etwas schwerer zu machen, ohne dabei mit dem Oberkörper zusammenzusinken. Gleichzeitig atmest du ganz tief und bewusst aus, denn das entspannt deinen Körper. Das Pferd empfängt durch deine Entspannung und Gelassenheit Signale, die es dazu bringen, die Gangart zu verlangsamen. Ein leises »Halt« oder »Ho« darfst du auch noch flüstern. Prima gemacht, dein Pferd hält an. Wenn du beim nächsten Mal schon vorher deine Atmung langsamer werden lässt, wird es noch feiner auf dich reagieren.

Zum erneuten Anreiten im Schritt reicht es jetzt aus, bewusst einzuatmen. Dabei streckt sich dein ganzer Körper und gibt auch durch die damit eingenommene Sitzposition deinem Pferd den Impuls: Aha, es geht weiter!

Natürlich wirst du auch noch lernen, das Pferd mit den Schenkeln vorwärtszureiten oder mittels der Zügelhilfe langsamer zu werden und anzuhalten.

Geführte Spaziergänge

Herrlich, jetzt geht es das erste Mal hoch zu Ross in die Natur. Ein Ausritt im gestreckten Galopp wird das noch nicht, aber trotzdem richtig spannend. Dein Pferd wird am Strick von anderen Kindern aus der Gruppe geführt. Das ist eine tolle Gelegenheit gleichzeitig führen und reiten zu lernen. Auf halber Strecke wird umgesessen und dann führst du das Pferd deines Teamkollegen in die Reitanlage zurück.

So gut aufgehoben, kann Julia in Ruhe üben: Ans Lenken muss sie noch nicht denken.

Von den Führübungen im Gelände weiß jeder schon, wie er sich im Verkehr verhalten muss. Den noch ungewohnten Sitz im Sattel mit aufgenommenen Steigbügeln kannst du jetzt schon ausprobieren, vielleicht reitest du auch lieber noch auf der Decke mit Gurt. Manchmal geht noch ein ganzer Schwung anderer Fußgänger mit: Eltern, die mal gucken wollen, wie's so läuft, die Stallhunde vielleicht, Kinder, die auf den nächsten Unterricht warten und, und, und. In den Gesichtern der dir begegnenden Spaziergänger wirst du lesen können, wie schön so ein bunt gemischter Trupp anzusehen ist. Natürlich ist auch euer Ausbilder mit dabei und in ganz lockerem Rahmen könnt ihr ihn nun mit Fragen löchern, denn jetzt habt ihr ja Zeit und da geht das wunderbar.

Erste Übungen zur Zügelführung

Vielleicht gibt es ja in der Nähe eine mit Bäumen bestandene Wiese, auf der ihr üben dürft. Quer über Wiesen reiten darf man normalerweise nicht. Jede Wiese

Ein herrlicher Tag für einen Geländespaziergang!

> **GEFÜHRTE SPAZIERGÄNGE FÖRDERN:**
>
> - das Vertrauen zwischen den Teampartnern Pferd und Mensch,
> - deine Fähigkeit, Angst vor ungewohnten Situationen abzubauen,
> - den Zusammenhalt in der Gruppe,
> - dein Wissen über das Führen und Reiten eines Pferdes,
> - den Spaß am Reiten lernen.

ist ja das Privateigentum eines anderen Menschen und wenn jemand bei euch im Garten ungefragt Fußball spielt, fänden deine Eltern das sicher auch nicht toll.

Nun bist du schon Wendungen durch die Drehung deines Körpers geritten und hast dein Pferd durch Atmung beeinflusst, jetzt kannst du in Verbindung mit der Zügelhilfe sogar Slalomreiten um Bäume üben. Das ist dann schon eine erste richtige Kombination von verschiedenen »Hilfen«. Dein Pferdeführer geht nur aus Sicherheitsgründen für dich mit, den Weg bestimmen sollst du selbst.

Die Zügel hast du locker zwischen deinem kleinen und dem Ringfinger aufgenommen, der Kontakt zum Pferdemaul ist ganz fein. Wenn das Pferd im Schritt unterwegs ist, wirst du bald merken, dass es im Takt zu seinen Schritten eine Nickbewegung mit dem Kopf macht. Die Nickbewegung der Pferde ist unterschiedlich stark, jedes Pferd hat seinen ganz eigenen, unterschiedlichen

TIPP Die tiefen Hufabdrücke der Pferde können bei nassem Wetter die Grasnarbe stark beschädigen. Deshalb solltest du bei feuchtem Boden Grasflächen und Wiesenwege meiden, da sie durch das Reiten sonst zu arg aufgewühlt werden.

TIPP Stellt dir die Verbindung mit dem Zügel wie ein Gummiband vor, das sich mal ausdehnt, mal leicht zusammenzieht.

Rhythmus. Damit es durch die aufgenommenen Zügel und das Gebissteil der Trense nicht bei jedem Schritt einen kleinen Ruck ins Maul bekommt, musst du lernen, dich auf die Nickbewegung einzustellen und ihr weich zu folgen, sie also auch zulassen. Das ist nun wieder eine richtige Gefühlssache, denn ständig unruhig vor- und zurückbewegen sollst du die Hände nicht. Am einfachsten ist es vielleicht, wenn du wieder mal die Augen schließt und dich auf ganz feines Fühlen konzentrierst. Dabei bleiben dein Oberkörper, die Arme und Handgelenke so schön locker und unverkrampft, dass du fast unmerklich der Bewegung folgen kannst.

Beim Slalomreiten stellst du dir »Tür auf« und »Tür zu« vor. Da, wo du hinreiten möchtest, wird der Zügel seitlich vom Hals geöffnet und hingeführt (Tür auf), der zweite Zügel liegt am Hals an und begrenzt damit dein Pferd in die andere Richtung (Tür zu).

Oft reicht schon das leichte Öffnen der Finger (ohne die Zügel dabei durchrutschen zu lassen), um die Vorbewegung des Pferdekopfes nicht zu behindern. Nun probierst du mal in Kombination auszuatmen, um dadurch mehr einzusitzen, und gleichzeitig die Finger leicht zum Handinneren einzudrehen. He, gut gemacht, das war deine erste »Parade« (Fachwort für Zügelhilfe) deines Reiterlebens. Dein Pferd hat angehalten. Nun ist dein Teamkollege dran. Vergiss nicht, dein Pferd vor dem Absteigen ausgiebig zu loben.

Eines ist dir jetzt bestimmt klargeworden: Reiten ist eine Mischung aus einer großen Portion Gefühl und einer ebenso großen Portion Verstand und Wissen. Aber dein Pferd gibt sich ja alle Mühe, dir das Reitenlernen so angenehm und leicht wie möglich zu machen.

Ronja steuert Kharim konzentriert um die Bäume.

Bodenarbeit – was ist das eigentlich?

Für den partnerschaftlichen Umgang mit einem Pferd ist vor allem eines wichtig: dass ihr euch verständigen könnt. Da Pferde nicht sprechen können und wir ihnen somit auch nicht in unserer Sprache – also in Worten – mitteilen können, was wir von ihnen erwarten, müssen wir die Pferdesprache lernen. Die Erziehung des Pferdes vom Boden aus und das Benutzen seiner Sprache zur gegenseitigen Verständigung nennt man Bodenarbeit.

In manchen Ställen glauben die Pferdeleute immer noch, dass es sich bei Bodenarbeit nur ums Longieren handele. Wer nicht longiert, der reitet. Oder gibt's da sonst noch was? Oh, ja, und zwar eine ganze Menge Beschäftigungsmöglichkeiten, mit denen du dich mit deinem Pferd verständigen kannst, ohne darauf zu sitzen. Wenn du jetzt mal herumfragst, wirst du von einigen sehr ehrfürchtige Antworten bekommen. »Oh,

Herrlich, so ein Frühlingstag!

Bodenarbeit, das machen Pferdegurus, das ist was Mystisches, und man muss eine besondere Gabe haben, um sich durch kleinste Zeichen mit Pferden verständigen zu können.« Falsch! Sich mit Pferden zu verständigen kann jeder lernen. Als Menschen benutzen wir hauptsächlich Wörter, um uns verständlich zu machen. Wir können sogar viele Fremdsprachen lernen, um uns auch Menschen in anderen Ländern mitzuteilen. Worauf wir uns leider nicht mehr so richtig besinnen können, ist die Körpersprache, die auch uns Menschen angeboren ist.

Wie Pferde ticken

Wenn du mal Pferde auf der Koppel beobachtest, dann wirst du feststellen, dass sie sich durch teilweise ganz kleine Körpersignale miteinander verständigen. Als Herdentier hat jedes Pferd im Zusammenleben mit den anderen einen festen Rang in der Herde. Es gibt nur einen Chef, und der sagt, wo es langgeht. Als Flucht- und Beutetiere haben Pferde ein ganz hohes Sicherheitsbedürfnis, und wenn der Chef ein tüchtiges Leittier ist, dann werden sich die anderen ihm gern anschließen und ihn akzeptieren, denn sie fühlen sich geborgen und beschützt bei ihm.

Um in der Steppe überleben zu können, ist es sehr wichtig für die Pferdeherde, sich durch kleinste, lautlose Körpersignale miteinander verständigen zu können. Wenn alle Pferde grasen, muss einer aufpassen, ob sich Raubtiere nähern. Hebt der Wächter ruckartig den Kopf und spannt alle Muskeln an, dann heißt das: »Gefahr, alle abhauen!« Da Pferde mit sehr langen Beinen und viel Muskeln ausgestattet wurden, haben sie durch blitzschnelles Abhauen auch gute Chancen, nicht von einem Tiger verspeist zu werden.

Die seitlich angeordneten Pferdeaugen nehmen jedes Huschen, jede Bewegung wahr. Ist ja klar, dass das Pferd im Menschenalltag genug Gründe findet, abhauen zu wollen. Denk mal an all die Autos, Fahrräder, Jogger, Inlineskater, Kinderwagen, Regenschirme, Plastiktonnen, Flatterplanen, Hunde, Papiertüten im Gebüsch und so weiter, und so weiter. Mit Pferdeaugen betrachtet, wimmelt unsere Menschenwelt nur so von vermeintlichen Gefahren. In jeder Gefahrensituation wird das Pferd eine ganz unmittelbare Reaktion zeigen. Es denkt nicht in Ruhe darüber nach und entscheidet dann, ob es abhaut oder nicht, wie wir Menschen es vielleicht tun würden. Es haut sofort ab, denn in der Natur entscheiden oft Sekunden über Leben und Tod. Es muss dir bewusst sein, dass dein Pferd diese tiefen Instinkte in sich trägt und in vielen Situationen mit uns als Reiter oder Zu-Fuß-Begleiter nun sogar gegen seine Instinkte handeln soll. Das verlangt vom Pferd dem Menschen gegenüber wirklich sehr viel Vertrauen und Respekt. Diese Schilderungen sollen dir keine Angst machen vor dem Umgang mit dem Pferd, sondern neugierig darauf, wie du es schaffen kannst, sein Vertrauen und seinen Respekt zu gewinnen.

Die Kleinherde – du und das Pferd

Auch jedes Pferd/Mensch-Team ist eine kleine Herdengemeinschaft. Damit der Umgang mit diesem tollen, aber ein paar hundert Kilo schweren Lebewesen für dich nicht gefährlich wird, musst du lernen, der Chef in eurer Herde zu werden. Auch den Drang zur Flucht kannst du dadurch verhindern. Du bist dann das Leittier, und wenn du mit entsprechender Haltung signalisierst: »Keine Gefahr«, wird dein Pferd sich sowohl am Boden wie auch unter dem Sattel von dir überzeugen lassen und dir vertrauen. Bestimmt möchtest du unheimlich gerne der Freund deines Pferdes sein. Wenn es dich nicht verstehen kann, klappt das aber nicht. Freundschaft hat immer mit Vertrauen zu tun. Du musst versuchen, dich in deinen Freund – das Pferd – hineinzuversetzen. Je mehr du über es weißt, je einfacher fällt es dir, bestimmte Verhaltensweisen deines Pferdes zu begreifen und ihm durch dein richtiges Verhalten die Angst zu nehmen.

Holst du dein Pferd zum Beispiel von der Koppel, halfterst es auf und möchtest nun mit ihm zum Weideausgang marschieren, wo vielleicht ein paar Pappeln im Wind rauschen. Dann kann es sein, dass dein Pferd überhaupt keine Lust dazu hat, sondern lieber mit den vierbeinigen Kollegen in der sicheren Herde weitergrasen möchte. Wenn du in dieser Situation zögerlich oder sogar ängstlich bist, wird es sich garantiert losreißen und in die sichere Gemeinschaft der Pferdeherde zurückgaloppieren. Einem zögerlichen, ängstlichen Menschen folgt es nicht. Das wäre – für seine Instinkte – der sichere Untergang, und es übernimmt lieber selbst die Entscheidungen, wohin es geht und wohin nicht.

Ist aber deine Körperhaltung aufrecht, dein Gang bestimmt und souverän, dann geht es mit dir überall hin, denn es schließt sich dir – als Leittier – gerne und vertrauensvoll an. Sicher hast du manchmal auch Angst vor dem Pferd: wenn es scheut, wenn es plötzlich einen Satz macht und dir den Strick durch die Hand zieht,

In der Herde fühle ich mich sicher.

wenn es unter dem Sattel eine 180-Grad-Wendung macht und du in Schieflage gerätst oder wenn es mal nach dir zwacken will. Dafür musst du dich nicht schämen. Ein Pferd ist für uns Menschen ein sehr großes Tier, mit vier schnellen Hufen und ziemlich großen Zähnen. Es wiegt locker mehr als 10-mal so viel wie wir Menschen und könnte uns umrempeln, in den Boden trampeln oder an die Wand quetschen. Also noch ein guter Grund, um durch viel Wissen und systematische Bodenarbeit nicht nur die Angst des Pferdes, sondern auch deine eigene zu besiegen. Du musst lernen, auf das Verhalten des Pferdes richtig zu reagieren, dann brauchst du überhaupt keine Angst mehr zu haben.

Wir zwei sind ein gutes Team.

Pferdisch lesen

Wenn du auf dem Schulhof deine Mitschüler triffst, wird ein aufmerksamer Beobachter genau erkennen können, wen du magst und wen nicht. Magst du deinen Mitschüler, wirst du dich freundlich lächelnd nähern, sie oder ihn vielleicht kurz in den Arm nehmen zur Begrüßung. Deine Körperhaltung ist entspannt. Triffst du einen Schüler, mit dem du vielleicht vor kurzem Krach hattest, dann fehlt das Lächeln, du bleibst so ein bisschen auf Abstand und drückst durch deinen gespannten Körper aus, dass du nicht näher kommen willst. Eigentlich ist diese Körpersprache sehr viel älter als die Wortsprache. Es scheint nur so, dass die Menschen die feinen Antennen dafür leider allmählich verloren haben.

Du hast nun die große Chance, durch die Verständigung mit einem andersartigen Lebewesen – dem Pferd – deine Körpersprache wieder sehr gezielt und fein zu üben und einzusetzen. Das wird für dich auch im Zusammenleben mit Menschen bestimmt noch hilfreich sein. Damit du dein Pferd »lesen« kannst, musst du aber ganz genau wissen, was seine Körperhaltung, der Ausdruck von Ohren, Nase und Maul zu bedeuten haben. Wenn ein Pferd entspannt ist, wird es mit einer gerade verlaufenden Rückenlinie grasen. Der Kopf ist gesenkt, der Schweif pendelt locker. Sollte nun im Gebüsch ein Tiger rascheln – vielleicht eure Stallkatze –, dann wird das Pferd sofort ruckartig den Kopf heben und sich jeder Muskel seines Körpers spannen. Es hört auf zu kauen und ist bereit, in Sekundenschnelle abzudüsen. Nur durch diese blitzschnelle Reaktion hätte es in der freien Wildbahn die Chance zum Überleben gehabt. Erkennt es die Stallkatze, wird es sich entspannen und genauso locker, mit gesenktem Kopf und Hals, weitergrasen. Diese Körperhaltung bei Gefahr ist für jeden Betrachter gut zu erkennen. Aber es gibt noch eine ganze Menge viel feinerer Mimik, die Pferde sehr gut über ihr Gesicht ausdrücken können.

■ **Die Augen:** Weit aufgerissene Augen signalisieren Panik und Angst, ein ruhiges, klares Auge zeigt Vertrauen.

- **Die Ohren:** Weit zurückgelegte Ohren zeigen deutliche Abneigung. Ohren, die sich drehen, mal hierhin, mal dahin deuten, zeigen Aufmerksamkeit und manchmal auch Unsicherheit, ob es uns richtig verstanden hat. Ohren nach vorne bedeutet Aufmerksamkeit und Wachsamkeit. Bei entspannten Pferden sind die Ohren oft leicht seitlich heruntergeneigt.
- **Das Maul:** Hängt die Unterlippe entspannt nach unten, döst das Pferd meist vor sich hin. Manchmal, wenn du beim Putzen eine besonders gute Stelle erwischt, zieht es vor lauter Wohlbehagen die Oberlippe hoch und schnubbelt mit ihr rum. Wenn das Kinn richtig hart angespannt wird und das Pferd die Lippen fest zusammenpresst, dann ist Ablehnung und Ärger angesagt.

Wer darf näher kommen?

Jedes Lebewesen hat eine gewisse Individualzone, das ist der Bereich, den es um sich herum an Platz braucht, um sich wohlzufühlen. Du selbst magst es wahrscheinlich auch nicht so sehr, wenn sich ein Unbekannter sehr nah zu dir stellt. Wenn er dir dann auch noch unsympathisch ist, möchtest du am liebsten weit zurückweichen. Bei Pferden tun das die Ängstlichen auch sofort. Die Ranghöheren sagen dem Neuling dagegen recht forsch: Komm mir bloß nicht zu nah.

Manche Leute neigen dazu, wenn sie sich mit einem unterhalten wollen, so nah an uns heranzurobben, dass man kaum noch in ihre Augen sehen kann und man ihren Atem ganz nah an sich spürt. Kaum ein Lebewesen findet so etwas toll – mal abgesehen davon, man wäre in das Gegenüber frisch verliebt. Deshalb sollte man auch den jedem Lebewesen eigenen, gewünschten Abstand respektieren. Jedes Lebewesen hat auch seine ganz besondere Sprache, um zu sagen: Komm näher, ich mag dich. Wenn Menschen sich mögen, gehen sie lächelnd aufeinander zu und umarmen sich. Die Nähe eines geliebten Menschen tut gut. Pferde nähern sich freundlich, wenn sie mit leicht gesenktem Kopf gegenseitig an den Nüstern schnüffeln. Mögen sie sich sehr gern, kann daraus auch ein deutlicheres Beschnuppern am Hals und sogar Fellchenkraulen werden.

Das gefällt mir jetzt ganz und gar nicht.

Pferdisch sprechen

Das Pferd muss auch deine Individualzone respektieren und darf sich nicht so nah bei dir herumlümmeln, dass es dir auf die Füße tritt, in die Hacken stapft oder sich an dir schubbert, das würde es sich in der Herde nur an rangniedrigen Tieren erlauben. Hier musst du unterscheiden zwischen dem Wunsch des Pferdes und deinem Wunsch nach Nähe. Wenn du es zulässt, dann könnt ihr natürlich auch mal richtig miteinander knuddeln. Aber vorsichtig. Pferde nutzen extreme Nähe gerne aus, um wieder ein bisschen höher zu steigen auf der Leiter der Rangfolge. Du musst schon ziemlich taff sein, um den richtigen Moment zu erwischen, an dem du diesen sehr nahen Kontakt wieder abbrichst. Es gibt auch Pferde, die ganz schön machomäßig drauf sind und sich immer wieder an ihren Menschen schubbern wollen oder ihnen alle Taschen durchwühlen – das ist äußerst respektlos und du musst dagegen etwas unternehmen.

Für die Bodenarbeit haben sich ein Knotenhalfter und ein langer Arbeitsstrick bewährt. Nun kannst du durch seitliches Schwingen mit dem Seilende dein Pferd mehr auf Abstand halten. Sollte es nicht gleich reagieren, musst du, wie beim Reiten auch, deine »Hilfen« verstärken bis zum gewünschten Erfolg. Klopf mit dem Seilende auf die Schulter oder die Brust des Pferdes, bis es vor dir zurückweicht. Beim nächsten Mal wird es schon schneller reagieren, weil du nicht aufgegeben hast, bevor es gewichen ist und es nun merkt, dass es dir ernst ist mit deinem Wunsch nach Abstand. Wenn du durch konsequente Übungen am Boden festgelegt hast, wer das Leittier in eurer kleinen Herde ist, dann wird auch der Umgang mit diesem großen Tier viel einfacher für dich, denn es hat Respekt vor dir und vertraut dir.

Auch das Pferd muss lernen, deine Individualzone zu respektieren.

Konsequent sein

Mit einem Pferd musst du sehr konsequent sein. Es beobachtet dich immer, wenn du mit ihm zusammen bist. Das liegt in seiner Natur und ist ihm angeboren. Du kannst also nicht sagen: Ach, heute habe ich mal keine Lust, Leittier zu sein. Wenn du mal wirklich keine Lust hast, etwas zu üben, oder dich einfach von der Schule überfordert fühlst, dann setz dich zu deinem Pferd an den Koppelzaun und beobachte es im Umgang mit der Herde. Da lernst du garantiert wieder ganz viel dazu über das Pferdeverhalten.

Ganz wichtig sind regelmäßige Stillstehübungen. Hierzu kannst du auch eine Gerte als Sichtzeichen für »Stopp« einsetzen. Dein Pferd muss lernen, an jeder beliebigen Stelle ganz ruhig und friedlich mit dir stehen zu bleiben, egal, was für ein Trubel darum herum herrscht. Das kannst du in ganz vielen Situationen üben. Beim Holen von der Koppel, am Putzplatz, auf dem Weg zur Reitbahn etc. Dein Pferd darf dich beim Führen auch nicht überholen. Es muss seitlich hinter dir laufen und dich als Leittier respektieren. Sollte es zum Überholen ansetzen wollen oder dich gar in den Rücken stupsen, dann nimm beide Arme zur Seite raus und wedle schnell rauf und runter oder schwinge dein Seilende wie einen Propeller. Das Pferd wird seine Nase sofort wieder zurückziehen. Du musst so Aktionen schon konsequent durchziehen und auch signalisieren, dass du keine Angst hast. Strecke deinen Körper und mach dich groß, so wird es sich überlegen, dich zu überholen.

Körperausdruck üben

Vielleicht hat eine Reiterfreundin Lust mitzumachen, dann könnt ihr gemeinsam üben und euch gegenseitig beobachten. Stell dich daheim vor einen großen Spiegel. Hierin kannst du sehen, wie du durch eine bestimmte Haltung oder Gestik deinen Körperausdruck verändern kannst. Hängende Schultern und gesenkter Kopf sind ein Zeichen für Schwäche und Unsicherheit. Stehst du sehr aufrecht, mit erhobenem Kopf und gestreckten Schultern und schaust direkt geradeaus, dann signalisierst du deinem Pferd eine starke Persönlichkeit. Wenn du in dieser Haltung frontal auf es zugehst und ihm dabei noch in die Augen schaust, dann kann es sein, dein Pferd weicht vor dir zurück, weil es sich sogar etwas bedroht fühlt. Denk noch mal daran, wie ein aufgeregtes Pferd aussieht. Senkrechte Körperlinien – Kopf und Schweif hoch, alle Muskeln gespannt, hektische Bewegungen. Wenn im Gegensatz alles okay ist, hat das Pferd weiche, fließende Bewegungen, waagerechte Körperlinien und wenig Körperspannung. Nun könnt ihr vor dem Spiegel »wildes Pferd – braves Pferd« üben. Vieles wird dir dadurch bewusster, vor allem der gezielte Umgang mit dem eigenen Körper.

Freund oder Feind?

Holst du ein Pferd von der Koppel, wäre es daher sinnvoll, sich in einer entspannten Körperhaltung leicht seitlich an die Schulter des Pferdes anzunähern und den direkten Blickkontakt zu vermeiden. Wenn du dich schräg von hinten Richtung Flanke näherst, dann kann dein Pferd es missverstehen, denn der Boss treibt an dieser Stelle rangniedere Pferde und auch Raubtiere nähern sich von

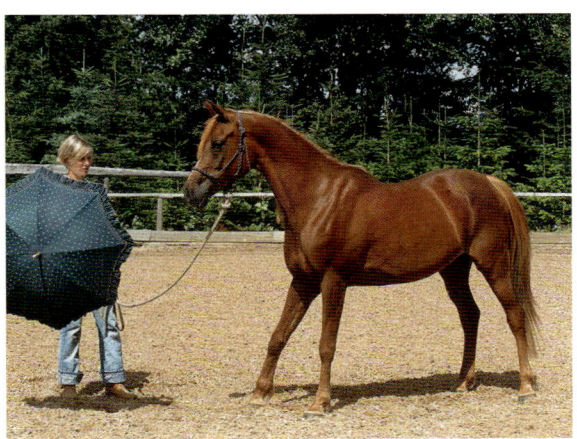

Huch, was ist das?

schräg hinten. Dein Pferd könnte diese Annäherung also als bedrohlich empfinden. Kraule es liebevoll am Mähnenkamm und halftere es mit ruhigen Bewegungen auf. Nun gehst du in ganz leicht vorgebeugter Haltung los, das Vorbeugen deutet dein Pferd als Impuls zum Loslaufen. So, dass wäre schon mal geschafft. Wenn dein Pferd nun auf dem Weg zum Stall anfängt zu zappeln und sich aufregt, geh ganz ruhig mit entspannter Körperhaltung weiter. Lass deine Hände unten und fuchtele nicht, sondern ignoriere die Zappelei. Meist reicht das aus, damit auch das Pferd sich wieder entspannt.

Geh weg

Nähert sich dir ein Pferd auf der Koppel oder im Offenstall völlig uneingeladen und du willst das nicht, dann musst du es mit einer sehr aufrechten und bestimmenden Körperhaltung wieder zurückweisen. Reicht ein Hochheben der Arme oder Wedeln damit nicht aus, dann tritt forsch auf das Pferd zu. Ist es ein ganz dickfelliger Kandidat, dann darfst du auch ruhig mal mit dem Fuß aufstampfen, um deiner Bitte Nachdruck zu verleihen. Wie auch beim Reiten musst du deine Hilfen verstärken, wenn dein Pferd dich noch nicht richtig verstanden hat. Fang immer mit der feinsten Hilfe an –

Auch Pferde knuddeln gerne…

es gibt ja auch viele Sensibelchen unter den Pferden – und gehe dann Schritt für Schritt zur nächststärkeren Hilfe über. Zwischendurch dein Ziel aufgeben darfst du auf gar keinen Fall, das würde dein Pferd als Schwäche werten. Du musst schon sehr selbstbewusst auftreten. Falls du dir bei einer bestimmten Aktion nicht sicher bist, ob du dir das mit dem jeweiligen Pferd überhaupt zutraust, dann frag lieber im Stall einen »Großen« oder den Reitlehrer um Hilfe. Sollte das sich nähernde Pferd so überhaupt keine Anstalten machen, sich wieder fortzuschleichen, dann hopst du mal richtig wild ein paar Sprünge auf es zu, fuchtelst dabei mit den Armen und sagst ganz laut: »Dreh rum!!« Diese Kombination wird jedes normal sozialisierte Pferd zum Abdrehen bringen.

Kratzbaum Mensch

Viele Menschen finden es total niedlich, wenn das Pferd herkommt und sich genüsslich Kopf und Hals an ihnen scheuert. Bestimmt findest du es auch total toll, zu schmusen und zu tüddeln. Leider ist diese Pferdegeste aber ein Zeichen dafür, dass unser Pferd sich sicher ist, in der Rangfolge deutlich über uns zu stehen. Denn nur ein ranghohes Pferd darf sich an einem rangniedrigen schubbeln. Das zarte Reiben kann sehr schnell zu einem heftigen Scheuern und Schubsen werden, was nicht mehr lustig ist. So ein paar hundert Kilo schubsendes Pferd können dich nämlich komplett umwerfen. Das ist sehr respektlos von deinem Pferd und muss auf der Stelle abgestellt werden, denn für eine weitere Zusammenarbeit ist das nicht gut. Natürlich darfst du auch weiterhin mit deinem Pferd schmusen und knuddeln, aber nur nach deinen Spielregeln und nur, wenn du deinem Pferd mitteilst: Jetzt fangen wir an und jetzt hören wir auch wieder auf. Dann würdest du dich nämlich wie ein Herdenboss benehmen und dein Pferd schenkt dir wieder den nötigen Respekt, um weiter unbeschadet mit ihm umgehen zu können. Wenn es selbst die Initiative ergreift und sich an dir scheuern will, dann hältst du es deutlich auf Abstand, unter Umständen auch mal mit einem gehörigen Schubser deinerseits.

Still stehen

Das Stillstehen ist eine sehr schwierige Lektion und eine sehr wichtige dazu. Es gibt genügend Anlässe, die von deinem Pferd ruhiges Stillstehen fordern. Das Stehen am Putzplatz, beim Satteln, beim Tierarztbesuch, in der Warteschleife auf die Reitstunde, beim Schwätzchen mit der Stallfreundin, an einer Straße – kurz vor dem Überqueren, vor dem Dressurviereck beim Turnierstart usw. Wenn du darüber nachdenkst, in welchen Situationen Pferde stehen bleiben sollen, fallen dir bestimmt noch ein paar ein. Die meisten gut erzogenen Pferde halten auf das Wort »Haaalt« auch brav an. Was aber noch nicht heißen muss, dass sie dann auch geduldig über einen längeren Zeitraum stehen bleiben.

Wenn dein Pferd auf eines der Wörter, die wir so üblicherweise gebrauchen wie »Halt«, »Ho« oder »Steh« anhält, dann lass den Strick allmählich ein wenig länger werden. Entferne dich ein bisschen vom Pferd, stehe ihm aber direkt zugewandt. Wenn es nun doch einen Schritt nach vorne machen will, dann sagst du sofort noch mal »Haaalt«, reicht das nicht und es will – wenn auch zögerlich – weiter vorlaufen, dann hebst du ruckartig die Hand, wieder mit dem Kommando »Haaalt«. Meist reicht das aus und dein Pferd steht sofort wieder. Wenn nicht, dann baust du dich mal richtig groß auf und bringst sehr viel Spannung in deinen Körper und gehst zwei, drei Schritte sehr energisch auf dein Pferd zu. Ups, wahrscheinlich weicht es jetzt sogar etwas zurück. Tut es das, dann nimm sofort die Spannung aus deinem Körper, senk den Blick etwas und signalisiere so deinem Pferd: Ist in Ordnung, ich mache dir keinen Druck mehr. Pferde können sich an deiner sehr deutlichen und klaren Körpersprache und auch dem dadurch manchmal ausgeübten »Druck« gut orientieren, denn sie kennen es nicht anders aus dem Herdenleben. Denk aber bei der Stillstehübung bitte daran, dass auch

du in dieser Zeit nicht unbedingt als Zappelphilipp unterwegs bist.

Leittier Mensch

Sei immer freundlich, aber sehr konsequent, wenn etwas nicht klappt. Fange mit minimalen Hilfen an und verstärke diese, wenn dein Pferd sie nicht versteht – man könnte auch sagen: So viel wie nötig, so wenig wie möglich. Sei klar und eindeutig in deinen Anforderungen, wie soll dein Pferd dich sonst ernst nehmen, wenn du selbst nicht genau weißt, was du eigentlich von ihm willst. Halte dich an immer dieselben Worte und Gesten für einen bestimmten Wunsch, schließlich kannst du nicht von deinem Pferd verlangen, dass es auch noch Dialekt lernt.

Du solltest immer viel loben, das motiviert dein Pferd positiv. Wenn du es schaffst, dem Pferd zu übersetzen, was du möchtest, wird es sich dir vertrauensvoll anschließen und keine Bedenken haben, von der sicheren Herde weg mit dir mitzugehen. Es wird in jeder Situation wissen: Mein Zweibeiner hat das im Griff, er passt auf mich auf. So schenkt es dir nicht nur seinen Gehorsam, sondern auch sein Vertrauen. Und dieses schöne Gefühl ist wie Magie!

Wer bist du?

PFERDEKRANKHEITEN

Da dein Pferd nicht reden kann, musst du erkennen können, wenn es dir in seiner Sprache klarmachen möchte, dass es sich nicht wohlfühlt oder sogar Schmerzen hat. In diesem Fall berichtest du dann bitte sofort der verantwortlichen Person im Stall von deinen Beobachtungen.

So merkst du, dass etwas nicht bei deinem Partner Pferd stimmt:

■ Es steht lustlos mit hängendem Kopf im Stall oder frisst nicht, obwohl in seiner Krippe noch guter Hafer ist.
■ Sein Fell ist auch nach dem Putzen matt und struppig.
■ Das Pferd ist sehr unruhig und schaut sich immer wieder nach seinem Bauch um.

■ Achte darauf, ob es beim Führen zum Putzplatz normal im Takt läuft – klack, klack, klack, klack –, oder vielleicht ein Bein leicht schleifen lässt und nicht richtig aufsetzt.

Das Putzen ist eine gute Gelegenheit, um den ganzen Pferdekörper zu inspizieren. Offene **Wunden** oder geschwollene Stellen lassen sich am leichtesten feststellen. **Schwellungen** und **warme Zonen** an den Beinen im Sehnenbereich sind meist Entzündungen, die oft zu einer deutlichen Lahmheit führen können.

Krankheiten der Knochen, wie **Arthrose,** kann man von außen nur selten sehen. Das Pferd lahmt

oft erst, wenn die Krankheit schon weit fortgeschritten ist. Das gilt auch bei **Rückenschmerzen,** die Pferde leider sehr häufig haben, weil sie nicht rückenschonend geritten werden. Ganz schlimm wird es bei den »kissing spines«, das sind frei übersetzt »sich küssende Wirbel« – beim Küssen kommt man sich näher, schön. Tun es die Wirbelkörper des Pferderückens, ist das sehr schmerzhaft, der Rücken wird ganz steif. Kein schöner Gedanke, nicht wahr!

Pferde habe sehr empfindliche **Atemwege.** Wenn dein Pferd hustet, muss unbedingt jemand nach ihm sehen, denn ein vernachlässigter Husten kann ganz schnell chronisch »immer wiederkehrend« werden, und dann ist das Pferd nicht mehr belastbar. Eine böse **Infektion** (wie eine Grippe) zeigt sich neben hohem Fieber auch oft durch zäh fließenden und gelblichen Schleim, der aus der Nase läuft.

Aus vielen verschiedenen Gründen können Pferde eine **Kolik** bekommen. Der Magen- und Darmbereich ist sehr empfindlich und kann bei einer Kolik so schmerzen, dass das Pferd nass geschwitzt ist; sich hin und her wälzt und zwischendurch immer wieder aufspringt. Meist schaut es häufig zum Bauch oder schlägt mit den Hinterbeinen

DIE WIRBELSÄULE DES PFERDES

Abstände zwischen den Dornfortsätzen im Normalfall.
So viel Platz haben die einzelnen Wirbel normalerweise voneinander.

Bei durchgebogenem Rücken nähern sich die Spitzen der Dornfortsätze einander an. Das kann durch falsches Reiten passieren. Die Wirbelsäule wird so geschädigt.

Dornfortsätze

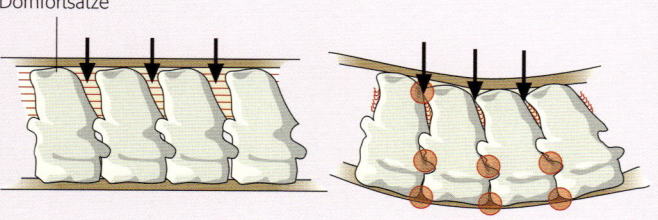

Wenn die Wirbelkörper aneinanderreiben, bereitet das dem Pferd große Schmerzen. Im Extremfall ist die Beweglichkeit des Rückens sogar stark eingeschränkt.

danach. In diesem Fall ist höchste Eisenbahn angesagt, der Tierarzt muss schnellstens kommen.

Pferde sollten **regelmäßig entwurmt** werden, möglichst viermal im Jahr. Auch manche **Impfungen** sind ganz wichtig, wie die gegen Tetanus (Wundstarrkrampf). Andere Impfungen sind Pflicht, wenn das Pferd zum Beispiel auf eine Reise geht oder an Turnieren teilnimmt.

Der **Pferdezahnarzt** sollte regelmäßig etwa einmal im Jahr kommen und das Gebiss gründlich untersuchen. Durch Zahnfehlstellungen kann die Futterverwertung sehr negativ beeinflusst werden. Vereiterte Zähne oder scharfe Haken an den Zähnen können zu großen reiterlichen Problemen führen. Traurig, aber wahr: Ganz viele Pferdekrankheiten könnten vermieden werden, wenn Pferde artgerecht gehalten

würden und ihre Besitzer und Reiter offene Augen und Ohren für ihre Bedürfnisse hätten.

Wie ist es eigentlich bei dir, wenn du krank bist? Meist gibt es doch leckeren Tee, man wird zugedeckt, bedient und ein bisschen verwöhnt. Auch ein Pferd braucht diese Zuwendung, wenn es sich nicht wohlfühlt. Schön, dass du da bist, wenn es dich braucht!

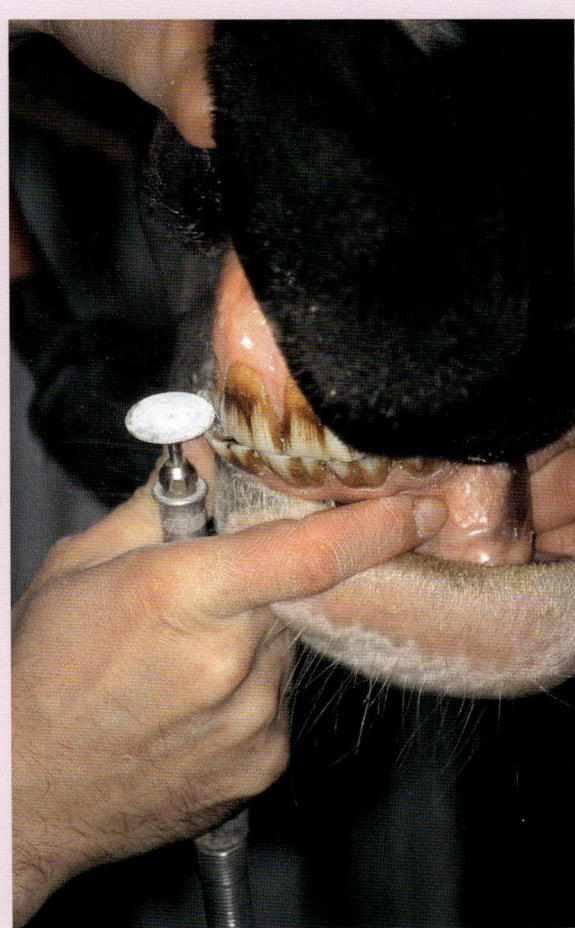

Pferdezahnarzt im Einsatz.

Jetzt passt Mama auf; später musst du das tun.

Hoch zu Ross

Inzwischen ist dir bestimmt klargeworden, dass Reiten mehr ist als »sich vom Pferd ein bisschen tragen lassen«. Aber du hast auch schon eine ganze Menge gelernt. Und was am wichtigsten ist: Du kommst immer in guter Stimmung in den Stall.

Und diese gute Stimmung überträgt sich dann sicherlich auch auf dein Pferd. Wer gut drauf ist, der hat Spaß am Leben und kann andere mit seiner guten Laune anstecken. Und ganz besonders auch Pferde! Denn die haben ein ganz feines Gespür für menschliche Stimmungen.

Gut gerüstet

Die Ausrüstung des Pferdes – das steht am Anfang dieses Kapitels. Denn schließlich muss alles »passen«, ehe du dich in den Sattel schwingst. Hast du Lust, mit schlecht sitzenden Klamotten Sport zu treiben? Sicherlich nicht! Deinem Pferd geht es da nicht anders. Nur dass es sich in seinem Fall um den Sattel und die Trense handelt.

Beim Satteln und Trensen gibt es eine ganze Menge Handgriffe zu beachten. Du wirst sehen: In kurzer Zeit werden die dir flott von der Hand gehen. Dann wird es spannend: Die ersten Übungen zum Auf- und Absitzen stehen an. Keine Sorge, es gibt prima Aufstiegshilfen, da bist du schwuppdiwupp oben.

Mit Leib und Seele Reiten lernen

Damit dein Pferd deine Körpersignale auch richtig deuten kann, musst du einen wirklich guten Reitersitz haben. Der sieht beim Dressurreiten anders aus als beim Springen oder im Gelände, aber das kannst du nun an der Longe völlig entspannt üben.

So gut aufgehoben, ohne dass du einen Gedanken ans Lenken verschwenden musst, werden auch die ersten schnelleren Runden im Trab gedreht. Und ich bin sicher: Wenn du erst mal Leichttraben kannst, dann willst du gar nicht mehr aufhören damit.

Danke sagen – aber wie?

Dein Pferd macht das alles superlieb mit und du hast schon so viel Spaß gehabt. Jetzt ist mal ein dickes Lob für deinen vierbeinigen Freund fällig. Wann, wie, womit und wo du ein Pferd am besten lobst, ist ein ganz wichtiger Teil in eurer zukünftigen Partnerschaft und ein Teil, der Freude macht.

Nur nicht den Mut verlieren!

Bei jedem Training kann auch mal was schiefgehen. Es gibt in jeder Sportart Phasen, da fragt man sich: Warum klappt es nicht so richtig? Dein Sport besteht aus zwei verschiedenartigen Lebewesen, da wird es immer Fragen geben. Antworten findest du, wenn du nach innen hörst, und mit einer fröhlichen und positiven Grundeinstellung.

Die Ausrüstung des Pferdes

Zwar sieht es im Fernsehen ganz toll aus, wenn die Indianer auf bloßen Pferderücken den Büffeln hinterherjagen, für das Pferd und auch für dich ist aber ein gut liegender und passender Sattel beim Reiten sehr viel angenehmer. Er verteilt nämlich das Reitergewicht gleichmäßiger auf dem sehr empfindlichen Pferderücken und bietet dir sicheren Halt.

Vielseitigkeitssattel mit ordentlich verstauten Bügeln und ordnungsgemäß übergelegtem Gurt.

Ähnlich sieht es mit dem Zaumzeug aus: Es gibt Menschen, die sich quasi per Gedankenübertragung mit dem Pferd verständigen. Du bist als Anfänger auf Gebiss und Zügel angewiesen, um das Pferd zu führen.

Der Sattel

Es gibt eine Menge verschiedene Sattelmodelle. Je nach Nutzungsart unterscheidet man Dressur-, Spring- oder Vielseitigkeitssattel. Auch fast jede Reitweise hat ihre eigenen Sättel, denn schließlich sind Isländer, spanische Pferde oder Westernpferde auch ganz verschiedene Pferdetypen mit unterschiedlichem Körperbau.

Sättel sind in allen möglichen Sitzgrößen und Kammerweiten erhältlich, denn sie sollen ja Pferd **und** Reiter passen. Ideal ist es natürlich, wenn ein und derselbe Reiter auch immer ein und dasselbe Pferd reitet; dann kann man für Pferderücken und Reiterpo maßgeschneidert einen Sattel bauen. Allerdings heißt das nicht, dass der Sattel ein Pferdeleben lang passt: Pferde verändern sich mit den Jahren, bestimmte Muskeln entwickeln sich weiter, sie werden unterschiedlich gearbeitet.

Du wirst es wahrscheinlich erst mal mit einem bequemen und für viele Popos gut passenden Vielseitigkeitssattel zu tun haben. Sein Name erklärt eigentlich schon seinen Zweck: Er ist vielseitig nutzbar. Die Sitzfläche mit den leichten Kniepauschen lässt zu, dass du einen ordentlichen Dressursitz mit langem Bein erlernen kannst; gleichzeitig bietet er dir ausreichend Sicherheit bei den ersten Ausritten oder kleinen Sprüngen im leichten Sitz.

Die Trense

Was für den Sattel gilt, gilt auch für die Trense: Es gibt so zahlreiche unterschiedliche Varianten, dass man darüber schon ganze Bücher geschrieben hat.

Eine komplette Trense besteht aus dem Gebissteil aus Metall, Kunststoff oder Gummi, den Zügeln, die an den Gebissringen eingeschnallt sind, und dem Reithalfter. Dieses Reithalfter wird separat eingeschnallt und kann auch herausgenommen werden.

Schau doch mal in deiner Reitschule nach, ob es drei oder nur zwei Riemen zu schließen gibt. Dann kannst du vielleicht schon selbst unterscheiden, ob es ein englisches Reithalfter ist oder ein kombiniertes. Beim kombinierten Reithalfter schließt du den Kehlriemen, den Nasenriemen und den Sperr- oder Kinnriemen. Das englische Reithalfter hat keinen Sperrriemen. Die Namen der unterschiedlichen Riemen sind ganz einfach zu merken, denn sie heißen nach den Teilen, an denen sie liegen. Unter dem Schopf des Pferdes, also auf seiner Stirn, sitzt der Stirnriemen. Um seine Kehle wird der Kehlriemen geschlossen. Um die Nase herum liegt der Nasenriemen und um das Maul und Kinn herum der Sperr- oder Kinnriemen.

Welches Gebiss du auch benutzt, gehe behutsam damit um, denn es liegt in dem empfindlichen Maul deines neuen Freundes, und dem willst du doch nicht wehtun!

Der Sperrriemen dient vor allem dem Schutz des Pferdes. Als Anfänger kannst du deine Hände noch nicht ganz ruhig halten, da kann es ungewollt vorkommen, dass das Gebiss im Pferdemaul zu viel herumgeruckelt wird. Ein korrekt verschnallter Sperrriemen verhindert dieses übermäßige Hin-und-her-Rutschen des Gebissteils, er legt das Gebiss ruhiger und fixierter ins Maul.

TIPP Lass dich vom Namen des Sperrriemens nicht verleiten, das Maul fest zuzusperren. Wie soll das Pferd Luft bekommen, wenn du die Nüstern abschnürst? Außerdem muss es kauen können, um beim Reiten locker zu werden.

Das Gebiss selbst wird bei dir eine einfach- oder doppelt-gebrochene Wassertrense sein. Schau sie dir mal in Ruhe in der Reitschule an und vergleiche mit dem Foto unten.

Hilfszügel

Die Hilfszügel machen ihrem Namen alle Ehre, wenn sie mit Umsicht und richtig verschnallt benutzt werden. Dann verhelfen sie sowohl dir wie auch deinem Pferd

So einen schönen Kopf muss auch eine gut passende und sauber geputzte Trense schmücken.

zu einer angenehmen Reitstunde. Da du anfangs noch nicht so ruhig sitzen und hauchfein mit deinen Zügel einwirken kannst, unterstützen dich die Hilfszügel dabei: Sie lassen das Pferd in einer angenehmen, gleichmäßigen Kopf- und Halshaltung laufen, die auch seinem Rücken nicht schadet. Dadurch kannst du dann auch viel ruhiger sitzen und Missverständnisse beim Kontakt mit dem Pferdemaul können vermieden werden.

Steffi verschnallt Dreieckszügel.

Mit folgenden Hilfszügeln – bitte immer aufpassen, dass die Schnallen nach außen zeigen – wirst du es eventuell als Reitanfänger zu tun haben:

- **Dreieckszügel** werden zwischen den Vorderbeinen des Pferdes um den Sattelgurt gelegt, von innen nach außen durch die Trensenringe gezogen und beidseits am Sattelgurt befestigt. Betrachte sie konzentriert, dann wirst du erkennen, dass sie wie ein Dreieck verschnallt sind. Mit ihnen kann das Pferd sich während deines Ritts gut dehnen.
- **Ausbinder** werden seitlich an jeder Seite des Pferdes am Sattelgurt verschnallt, von dort zum Trensenring geführt und mit einem Karabinerhaken eingeschnallt; du kannst sie oft bei Voltigierpferden sehen.
- Der **Stoßzügel** ist ein einzelner Ausbinder, der am Sattelgurt zwischen den Vorderbeinen des Pferdes befestigt wird und zu einem extra in die beiden Trensenringe eingeschnallten Verbindungssteg (Longierbrille genannt) führt.
- **Martingal:** Durch zwei Lederriemen mit Ringen am Ende werden die Zügel geführt, das andere Ende ist am Sattelgurt eingeschnallt. Es verhindert, dass ein Pferd den Kopf hochreißt. Meist wird es beim Springen und beim Ausreiten benutzt.

Dass ein Hilfszügel falsch eingeschnallt ist, kannst du oft daran erkennen, dass der Kopf des Pferdes durch sie fast bis auf seine Brust gezogen wird. Das ist natürlich viel zu eng und wird in der Reitersprache »hinter dem Zügel gehen« genannt. Richtig ist es, wenn das Pferd trotz

NACHGEFRAGT

Wenn bei deinem Schulpferd Hilfszügel eingeschnallt werden, frag ruhig danach, wie man sie einschnallt und was sie bewirken. Denk immer an den Kinderreim: Warum, warum, warum – wer nicht fragt, bleibt dumm!

Hilfszügeln die Möglichkeit hat, seine Nase senkrecht oder sogar ein klitzekleines Stückchen weiter vorn zu tragen.

Die Gamaschen

Einige Pferde benötigen auch Gamaschen. Die schützen die Beine vor äußeren Verletzungen, wenn du ins Gelände gehst. Manche Pferde neigen dazu, sich selbst mal zu treten, auch dann kann es sein, dass du Gamaschen anlegen musst.

Gamaschen gibt es sowohl für vorn wie für hinten. Man muss manchmal genau hinschauen, um zu wissen, ob sie für die Vorder- oder für die Hinterbeine gedacht sind und wo oben und unten ist. Also schau genau hin: Unten ist, wo die Gamasche etwas ausgebuchtet ist. Und der Verschluss muss immer außen am Pferdebein sitzen. Beim Schließen ziehst du den Klettverschluss von vorne nach hinten. Die meisten Gamaschen haben den Vorteil, dass man eigentlich nicht zu fest anziehen kann, weil sie elastisch sind. Gefährlicher ist es, wenn sie später verrutschen, dann kann dein Pferd sich wund reiben.

Manche Pferde mögen die Dinger nicht und fangen an, den Huf zu heben. Dann musst du einfach ganz ruhig bleiben und entschieden »Steh« oder »Runter« sagen, je nachdem, welches Kommando das Pferd kennt.

Handhabung und Pflege des Sattelzeugs

Da Trense und Teile des Sattels direkt mit der Pferdehaut in Berührung kommen, setzt sich an ihnen jede Menge Schweiß und verklebter Dreck fest. Der muss von Zeit zu Zeit gründlich mit Wasser und Sattelseife entfernt werden. Hinterher wird das Leder mit einem Lappen gut abgerieben, getrocknet und dann mit Lederöl oder -fett eingelassen. Nicht nur für die Schönheit ist das wichtig, sondern vor allem für die Sicherheit: Ein brüchiger Steigbügelriemen kann reißen, poröse Lederzügeln ebenso. Wird beim Springen ein Martingal

benutzt, laufen dessen Ringe nicht glatt über einen brüchigen und rissigen Zügel. Du siehst, es ist kein Putzfimmel, wenn das Lederzeug regelmäßig in Ordnung gebracht wird, sondern hat seinen Grund.

Genauso wichtig wie die richtige Pflege ist auch eine ordentliche Handhabung. Dazu gehört das korrekte Wegräumen: Nach dem Absatteln muss der Gurt gerade über den Sattel gelegt werden. Ein Schnurengurt kann sonst beim Trocknen in verdrehter Form vollkommen fest und starr werden und beim nächsten Satteln kriegst du das nicht mehr glatt gezogen. Das kann bei deinem Pferd zu Gurtdruck führen. Auch die Trense sollte ordentlich am Genickriemen weggehängt werden. Schweißiges oder nasses Leder trocknet nämlich in der Form, in der du es aufhängst. Sind die Backenstücke verdreht, brauchst du dich nicht wundern, wenn dein Pferd mit dem Kopf schlägt, weil sie unangenehm reiben.

Das Gebissteil der Trense musst du nach jeder Benutzung gründlich auswaschen, denn hier können sich Speichel und Futterreste so fest zusammensetzen, dass es ganz sperrig wird. Außerdem ist es ja keine schöne Vorstellung, ein Gebiss voller angetrockneter Speichelreste ins Maul zu bekommen. Beim Auswaschen kannst du außerdem kontrollieren, ob sich vielleicht ein Metallriss eingeschlichen hat, der die Zunge deines Pferdes verletzen könnte. Die Satteldecke sollte beim Weghängen ebenfalls gerade und frei hängen, dann kann sie besser trocknen und bekommt keine Falten, die später dein Pferd plagen. Mein lieber Schwan, muss man da an vieles denken! Stimmt, aber du hast alle Zeit der Welt, um zu lernen.

TIPP Alle Hilfszügel werden erst in der Reitbahn oder auf dem -platz eingeschnallt. Im Stall bleiben sie am Sattel eingehängt (Ausbinder), werden locker um den Hals geschlungen (Dreieckszügel) oder hängen einfach am Hals herunter (Martingal).

Es geht los!

Zaumzeug und Sattel sind jetzt sauber und tadellos in Ordnung, jetzt kann's also losgehen. Doch halt! Lass dir beim ersten Mal immer erst zeigen, wie alles geht, und probier's dann selbst – aber mit viel Gefühl. Und denk dran: Fragen kostet nichts.

Aufsatteln

Bevor du den Sattel auf den Pferderücken legst, solltest du dich von ein paar Dingen überzeugen: Es wäre prima, wenn du dir angewöhntest, bei jedem Sattel kurz die Satteldecke zu checken. Festsitzende Strohhalme

Man muss sich nur zu helfen wissen!

können den Rücken deines Pferdes aufscheuern und dann sogar dich zu Fall bringen, weil dein Pferd bockt, wenn es im Rücken gepikst wird.

Die Steigbügel müssen an den Steigbügelriemen ordentlich hochgeschoben sein und auch der Sattelgurt darf nicht lose herunterhängen, sondern sollte über den Sattel gelegt oder durch einen Steigbügel geschoben sein. Sensible Pferde können sehr erschrecken, wenn der Gurt oder ein Steigbügel ihnen plötzlich um die Beine schlägt. Außerdem kannst du dir selbst ziemlich wehtun, wenn dir beim Hochwuchten des Sattels aus heiterem Himmel ein Steigbügel ins Gesicht schlägt.

Genauso wichtig ist, dass der Sattel an der richtigen Stelle liegt: Zu weit vorn kneift er dein Pferd in das Schulterblatt oder der Gurt reibt am Ellbogen; zu weit hinten drückt er auf die empfindlichen Nieren.

So gehst du beim Satteln vor:

- Du stehst seitlich neben dem Pferd und streichst mit der flachen Hand noch mal den Pferderücken ab. So kannst du noch verklebte oder verkrustete Stellen am besten aufspüren und gleichzeitig bereitest du dein Pferd mit sanfter Massage auf das Satteln vor.
- Wenn ein Pferd zu Sattelzwang neigt, solltest du es beim Satteln losbinden. Sonst rennt es vielleicht rückwärts und hängt sich panisch in sein Halfter.
- Nun leg den Sattel hoch über und vor dem Widerrist

TIPP Wenn dein Pferd so groß ist, dass du Mühe mit dem Sattel hast, dann nimm ruhig ein Kästchen oder einen Hocker zu Hilfe. Zeig ihn vorher dem Pferd ganz in Ruhe, damit es keine Angst davor bekommt, wenn du es hinführst.

auf und zieh ihn langsam in Fellrichtung nach hinten bis in die Sattellage. Du hast sie gefunden, wenn der Sattel wie angegossen liegt. Bist du doch mal darüber weggerutscht, dann zieh ihn nicht nach vorn, sondern lege ihn nochmals neu auf. Andernfalls kann es durch gegen die Fellrichtung reibende Haare zu einem Satteldruck kommen.

- Nun musst du auf beiden Seiten die ordentliche Lage der Satteldecke und des Gurtes überprüfen. Den Gurt nimmst du auch erst jetzt, von der anderen Seite, herunter, die Steigbügel bleiben hochgeschoben an ihrem Platz. Wirf auch mal einen Blick unter das Sattelblatt, ob die Gurtstrupfen nicht verdreht sind.
- Bevor du den Sattelgurt schließt, wird die Satteldecke noch gut eingekammert, das heißt, du ziehst sie mit der Hand vom Widerrist weg in die Sattelkammer hoch. Vergisst du das, spannt die Decke stark am Widerrist und er kann sogar Wundstellen bekommen.
- Nun gurtest du sehr behutsam erst mal so weit an, dass der Sattel nicht mehr herunterrutschen kann. Das Pferd soll ja Gelegenheit haben, sich an den Druck an Rücken und Bauch zu gewöhnen.

Richtig ist es, wenn du mit dem gesattelten Pferd nun erst ein paar Schritte läufst, bevor du nachgurtest, denn durch die Bewegung entspannt es die Bauchmuskulatur wieder. Außerdem tut es der ganzen Stimmung vor dem Reiten gut, wenn du nicht schwuppdiwupp nach dem Satteln aufs Pferd springst, sondern euch beiden durch ein paar Runden zu Fuß die Möglichkeit gibst, die Reitstunde entspannt zu beginnen. Wenn du beim Satteln und auch beim späteren Absatteln sorgfältig vorgehst, wird es dein Pferd dir durch lockeres und zufriedenes Laufen in der Reitstunde danken.

Auf- und Abtrensen

Du hattest ja beim Putzen Gelegenheit zu beobachten, ob dein Pferd vielleicht kopfscheu oder empfindlich an den Ohren ist. Sollte das der Fall sein, so bitte unbedingt deinen Reitlehrer oder eine andere erfahrene Person

SANFTES GURTEN

Stell dir mal vor, dir würde jemand einen Gürtel in die Jeans schnallen und ihn ohne Vorwarnung ganz stramm zuziehen. Gar nicht schön! Achte also beim Satteln darauf, den Gurt langsam zu schließen und nicht ruckartig.

um Mithilfe beim Auftrensen, denn sonst verstärkt sich dieses Problem noch. Sei nicht traurig darüber, sondern schau genau zu, wie man so einen sensiblen Kandidaten behandelt. Ganz wichtig ist, dass die Riemen der gesamten Trense nicht verdreht sind. Das solltest du vorher genau kontrollieren.

Wenn dein Pferd ruhig an seinem Putzplatz steht, streifst du als Allererstes die geschlossenen Zügel über seinen Hals. So hast du es jederzeit im Griff, wenn du nun das Halfter vom Kopf nimmst.

Alternativ könntest du das Halfter lösen und über den Hals nach hinten schieben, sodass dein Pferd immer noch angebunden ist.

Deine ganze Grundstimmung und Körperhaltung sollte Ruhe ausstrahlen, denn das überträgt sich auf das Tier. Zappelige Pferde aufzutrensen kann tierisch nerven, und zwar alle Beteiligten.

Solltest du beim Überstreifen des Genickriemens mal das Gefühl haben: Moment, hier stimmt was nicht, dann darfst du auf keinen Fall mit Kraft weiterziehen. Stell dir mal vor, wie unangenehm das für die Maulwinkel und Ohren deines Pferdes ist. Entweder hast du die falsche Trense erwischt oder jemand hat die Löcher verschnallt. Beide Probleme kann man lösen: Du überzeugst dich noch mal, ob es auch das richtige Kopfstück für dein Pferd ist, oder verlängerst die entsprechenden Riemen. Wichtig ist auch, dass du den Genickriemen erst über

1 Du stehst seitlich neben dem Pferdekopf und hältst das ganze Kopfstück mit der rechten Hand fest. Diese greift dabei unter dem Pferdekopf auf die andere Seite hinüber. Das Gebissstück führst du nun mit der linken Hand vor die Pferdelippen.

Wenn dein Pferd nicht sofort das Maul öffnet, kannst du den Daumen deiner linken Hand nun vorsichtig in die Maulspalte in Höhe der Laden drücken. Die Laden sind der zahnfreie Teil des Pferdekiefers, also keine Angst.

Dies löst den Kaureflex aus und dein Pferd öffnet jetzt bestimmt das Maul.

2 Jetzt nimmst du die mit beiden Händen gehaltene Trense höher und achtest dabei darauf, dass dem Pferd das Gebissstück nicht gegen die Zähne schlägt (das ist auch beim Abtrensen ganz wichtig). Den Genickriemen erst über ein Ohr, dann über das andere streifen.

3 Nun richtest du die Riemen ordentlich gerade und beginnst, sie von oben nach unten zu schließen.

4 Kein Riemen darf zu stramm verschnallt werden, sonst plagt das dein Pferd. Unter der Kehle sollte eine aufrechte Hand Platz haben und unter Nasen- und Kinnriemen solltest du problemlos 2 Finger schieben können.

TIPP Im Winter solltest du das Gebissstück anwärmen, das ist wesentlich angenehmer, als ein eiskaltes Metall ins Maul geschoben zu bekommen. Du kannst es mit warmem (nicht heißem!) Wasser machen oder mit deinen warmen Händen. Auf diese Weise wird dein Pferd bei Eiseskälte willig sein Maul öffnen.

ein Ohr und dann über das andere schiebst. So geht's ohnehin viel leichter.

Für alle Riemen, die zu schließen sind, gilt als Faustregel: nicht zu stramm und nicht zu locker; was das für die einzelnen Riemen heißt, steht in den Bildunterschriften. Wenn du die Riemen zu stramm zuziehst, kann dein Pferd nicht mehr richtig atmen oder kauen. Baumeln

die Riemen zu locker am Pferd, kann das nerven, und dein Pferd beginnt mit dem Kopf zu schlagen. Du siehst, alles, was dir abverlangt wird, macht einen Sinn. Es sind nicht nur irgendwelche starren Regeln, die sich mal jemand ausgedacht hat, um dich zu triezen.

So, jetzt musst du noch die Haarpracht deines Pferdes ordnen, dann bist du startklar für die Reitstunde! Solltest du mal etwas vergessen haben, darfst du dein Pferd auf gar keinen Fall, weil es vielleicht gerade schnell gehen muss, an der Trense anbinden. Es könnte sich ganz übel verletzen. So viel Zeit muss immer sein, zum Anbinden das Halfter wieder überzustreifen.

Auf- und Absitzen

Ob man problemlos oder etwas mühsamer aufs Pferd kommt, hängt immer auch von der eigenen

Manchmal muss es auch ohne Aufstiegshilfe klappen. Niemals ohne Helm!

TIPP

Du solltest unbedingt alle Möglichkeiten üben – auch die ohne Aufstiegshilfe. Denn wenn du im Gelände mal absitzen musst und kein Hocker oder Baumstamm in der Nähe ist, bedeutet das sonst ein paar Kilometer Fußmarsch.

Gelenkigkeit und den Größenverhältnissen ab. Wenn du auf ein Pony oder Kleinpferd steigen sollst und ein normalgroßer Jugendlicher bist, wird es kein Problem geben. Du musst dich nicht verrenken, um das Bein in den Steigbügel zu stellen und dich auch nicht ewig lang hochwuchten.

Bist du aber noch ein Kind und sollst auf ein aus deiner Sicht großes Pferd steigen, kann das wie eine Tour auf den Mount Everest werden. Also scheu dich nicht, entweder jemanden zu fragen (denke an die Räuberleiter von den Fühlübungen), oder du besorgst dir einen sicher stehenden und stabilen Hocker. Wenn dein Pferd gut erzogen und an eine Aufstiegshilfe gewöhnt ist, ist das überhaupt kein Problem. Für das Pferd ist der Aufstieg des Reiters mit einem Hocker immer angenehmer, denn in der Hochschwingphase, wenn du am Sattel hängst, wird dieser mit vollem Gewicht seitlich an den Widerrist gedrückt. Das ist nicht sehr angenehm. Auch das Gegenhalten am gegenüberliegenden Steigbügel kann das nicht ganz verhindern, aber immerhin beugt

Schwuppdiwupp ist Anna oben.

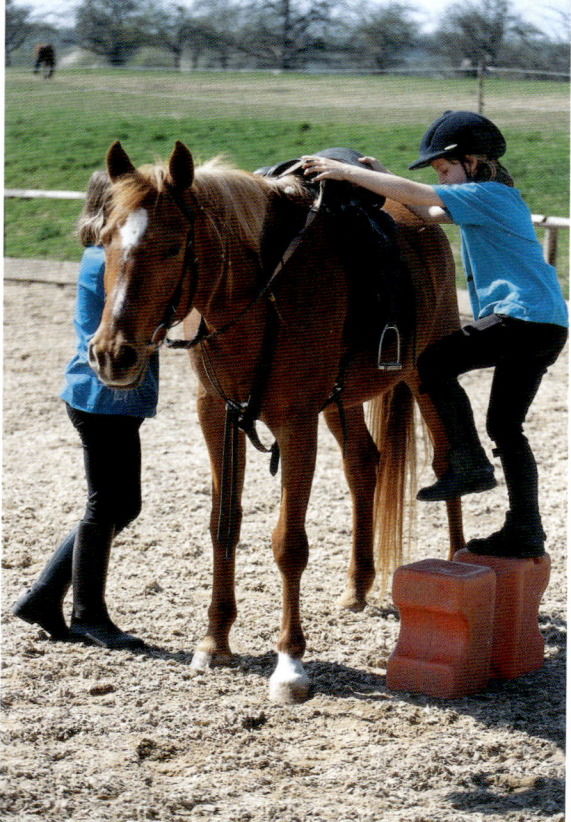

Mit Kästchen geht's leichter.

1 Stell dich seitlich neben das Pferd mit Blick auf seinen Kopf, dann bekommst du mit, ob es sich vor etwas fürchtet. Die Zügel hast du aufgenommen, um es unter Kontrolle zu haben. Den linken Fuß setzt du in den Steigbügel. Mit der linken Hand und den Zügeln greifst du in die Mähne des Pferdes, die rechte Hand fasst über den Sattel und findet hier Halt.

2 Mit dem rechten Fuß federst du dich vom Boden ab.

3 Schwing nun das Bein über den Sattel. Vorsicht, nicht dem Pferd in die Flanken treten. Es könnte einen Blitzstart hinlegen, während du mit einem Fuß im Bügel hängst.

4 Das Einsitzen in den Sattel muss federleicht und langsam ablaufen. Es wird erst losgeritten, wenn du in Ruhe die Bügel aufgenommen und dich zurechtgesetzt hast. Es gehört zur guten Kinderstube eines Pferdes dazu, dass es diese »Auszeit« akzeptiert und geduldig wartet.

es dem Verrutschen des Sattels vor. Dein Pferd soll ja beim Aufsteigen ganz brav und ruhig stehen bleiben. Das wird ihm manchmal aber schwerfallen, wenn es fast ins Trudeln gerät, weil der Reiter nicht so richtig mit Schwung hochkommt und an der Seite hängt. Ein bisschen Technik und Übung sind natürlich auch dabei und es schadet gar nicht, wenn du nach der Reitstunde noch ein wenig das Holzpferd mit deinen Kletterkünsten erfreust. Und nicht vergessen: Vor dem Aufsitzen muss

TIPP Frag mal deinen Reitlehrer, ob ihr mit einem ausgedienten Sattel am Holzpferd üben dürft. Da könnt ihr euch in Ruhe schon mal in der Technik des Bügelverschnallens und Nachgurtens üben.

der Sattelgurt unbedingt so fest verschnallt sein, dass der Sattel dir nicht entgegenrutschen kann.

In Prüfungen wird der Aufstieg von links und ohne Aufstiegshilfe gewünscht. Mach das bitte dann auch so, wie es verlangt wird. Aber zu Hause, beim Training, solltest du weiterhin sehr vielseitig arbeiten:

Mit der Aufstiegshilfe kannst du leicht auch mal von der anderen Seite aufsteigen. Noch daran gedacht? Dann bleibt ihr beide nämlich auf beiden Seiten gelenkig. Für das Pferd und auch den Sattel ist es sehr sinnvoll, auch mal von rechts aufzusteigen. Ständig einseitiges Aufsteigen kann die Bügelriemen unterschiedlich stark dehnen. Für die Händigkeit und die Erziehung des Pferdes ist es jedenfalls nur vorteilhaft, wenn du an beiden Seiten in den unterschiedlichsten Situationen alles machen darfst. Und für dich und deine Körperkoordination ist es ebenfalls ein gutes Training.

Auf ein zappeliges Pferd solltest du nicht eher steigen, bis es sich beruhigt hat, und wenn du unsicher bist, kannst du auch immer jemanden um Hilfe bitten.

Für den Abstieg gelten ähnliche Regeln wie für den Aufstieg. Du suchst dir wieder in der Bahnmitte einen ruhigen Platz, an dem du die anderen Reiter nicht behinderst, und hältst dein Pferd an. Streichle oder kraule es ausgiebig und verabschiede dich mit einem freundlichen »Schön war's!« von ihm. Dann nimmst du die Füße aus den Steigbügeln und springst seitlich herunter. Die Landung sollte mit weich federnden Knien erfolgen, denn wenn du mit gestreckten Beinen aufkommst, kann das sehr schmerzhaft für deine Gelenke sein.

Prima, wenn man Hilfe hat.

Bügel verschnallen und nachgurten

Für einen guten Sitz auf dem Pferd ist auch die richtige Bügellänge ganz wichtig. Von unten aus kannst du sie Pi mal Daumen schon vorher einstellen: Stell dich dazu seitlich neben das gesattelte Pferd und fasse mit den Fingerspitzen oben an die Bügelriemenschnalle. Dann nimmst du den Steigbügel und führst ihn an deinem Arm lang bis unter die Achselhöhle. Wenn diese Länge passt, stimmt es auch ungefähr auf dem Pferd. Allerdings kannst du erst von oben die wirklich genaue Verschnallung vornehmen.

Bist du noch etwas unsicher, ist es sinnvoll, wenn dir beim Verschnallen jemand hilft. Willst du es allein machen, dann achte darauf, dass du bei allen Verrichtungen auf dem Pferd nie die Zügel ganz aus der Hand legst. Das könnte schlimme Folgen haben, wenn dein Pferd beschließt, den Turbo-Antrieb einzuschalten. So schnell kannst du vielleicht noch nicht reagieren und in herunterbaumelnden Zügeln kann sich dein Pferd verfangen und sogar stolpern. Also im Zweifelsfall, wenn du beide Hände brauchst, die Zügel über den Arm hängen, aber nie so, dass du daran bei einem eventuellen Sturz mitgeschleift werden kannst.

Beim Nachgurten solltest du auf jeden Fall den Fuß aus dem Steigbügel nehmen, denn so ist es sicherer, falls das Pferd »durchstartet«. Auch von hier oben aus gilt die gleiche Regel wie beim Aufsatteln. Nicht plötzlich ruckartig ziehen, sondern langsam und Stück für Stück gurten, weil das viel angenehmer für dein Pferd ist. Du willst dir ja nicht gleich zu Beginn der Reitstunde einen schlecht gelaunten Partner einhandeln, oder?!

Mit etwas Übung kannst du bald auch alleine nachgurten.

Der Sitz

Richtig zu sitzen ist gar nicht so einfach. Meist hockt man ein wenig nachlässig mit nach vorn hängenden Schultern und rundem Rücken da. Auf die Dauer ist das nicht besonders gut für die Körperhaltung.

Auf dem Pferd ist das Sitzen eine noch größere Herausforderung, denn du befindest dich auf einem sich bewegenden Lebewesen. Du wirst zwar in recht kurzer Zeit

Bequem – aber nicht unbedingt in guter Körperhaltung.

lernen, dich auf einem Pferd zu halten, ohne herunterzufallen, aber bis du den richtigen und gut ausbalancierten Reitersitz kannst, der feine Hilfengebung erst ermöglicht, brauchst du eine ganze Menge Übung. Doch damit bist du nicht allein: Jeder Reiter, auch die tollsten und sogar dein Reitlehrer, muss immer wieder mal an der Verbesserung seines Sitzes arbeiten. Und auch wenn du mal ein richtig toller Reiter geworden bist, solltest du immer wieder mal ohne Sattel reiten und dich an deine Anfänge mit den schönen und entspannenden Fühlübungen erinnern. Das wird dir und deinem Pferd guttun und gefallen.

Um den bei allen Reitstilen angestrebten Sitz in Balance zu lernen, musst du jedenfalls keine besonderen körperlichen Voraussetzungen mitbringen, sondern einfach nur viel Körpergefühl.

Du musst lernen, in jeder Situation mit der Pferdebewegung mitgehen zu können. Am Anfang ist das gar nicht so leicht und bei den ersten Trabversuchen hast du vielleicht den Eindruck, dass deine Arme und Beine und dein Kopf sich zu selbstständigen Wesen entwickeln, die einfach tun, was sie wollen. Aber mit ein bisschen Übung wirst du dich von Reitstunde zu Reitstunde besser ausbalancieren können und deinen Körper mit dem des Pferdes in Einklang bringen.

TIPP Bemühe dich bei allen Bewegungen, deinen Körper intensiv wahrzunehmen. Bald merkst du, wie du dadurch gezielt und kontrolliert mit ihm arbeiten kannst.
Sorge für einen geschmeidigen Sitz mit gelöster Muskulatur und der notwendigen Portion Körperspannung, um den Bewegungen des Pferdes stets weich folgen zu können, dann bleibst du und dein Pferd gesund.

REITERIN IN »SCHIEFLAGE«

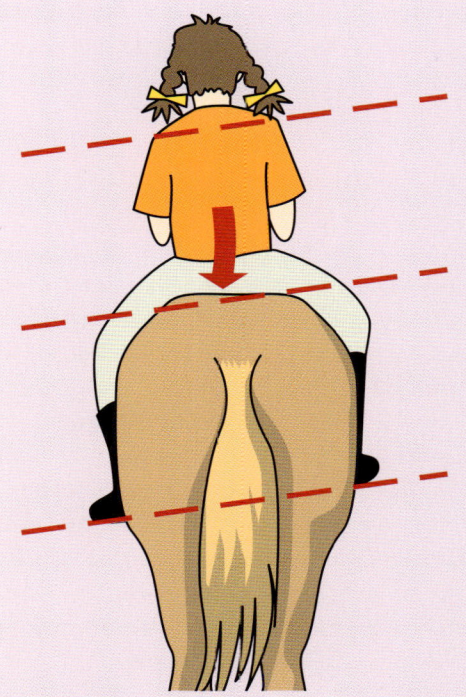

Diese Reiterin sitzt schief.
Schultern, Hüfte und Bein neigen sich deutlich mehr zur linken Seite.

Das kann auch durch verschieden lange Steigbügel oder einen schief liegenden Sattel verursacht werden.

DER IDEALSITZ SIEHT FOLGENDER-MASSEN AUS:

- Du sitzt mit losgelassenen, also lockeren Po-muskeln auf beiden Gesäßknochen.
- Deine Knie liegen mit der flachen Innenseite am Sattel an, klemmen aber nicht.
- Die Unterschenkel hängen leicht nach rückwärts am Pferdebauch herab.
- Mit der flachen, inneren Wadenseite hältst du eine feine Verbindung zum Pferd.
- Die Steigbügel sind unter deinen Zehenballen aufgenommen und werden gleichmäßig belastet.
- Deine Fußspitzen deuten ein ganz klein wenig weg vom Pferd.
- Das Fußgelenk bleibt locker, damit du dein Gewicht weich nach unten über den Absatz ab-federn kannst.
- Dein Oberkörper ist senkrecht aufgerichtet und die Schultern werden leicht zurückgenommen, aber nicht hochgezogen. Streck einfach dein Brustbein der Sonne entgegen.
- Den Kopf trägst du frei und aufrecht.
- Deine Arme hängen lässig an den Seiten deines Oberkörpers herab, die Ellbogen liegen locker am Körper an.
- Die Hände trägst du senkrecht und geschlossen, aber nicht verkrampft vor dir, auf den Zügeln bilden die Daumen ein Dach.
- Von der Seite betrachtet, könnte man eine senk-rechte Linie durch deine Schultern, deine Hüfte und deine Ferse malen.

Wenn's dennoch nicht klappt, gibt es einige Gründe, warum du trotz größter Bemühungen auf dem einen oder anderen Pferd einfach nicht so richtig sitzen kannst: Manche Pferde sind nicht richtig oder noch nicht fertig ausgebildet, noch nicht geradegerichtet, das heißt, sie laufen in sich schief, und das überträgt sich sogar auf deinen Sitz, denn der kann auf so einem Pferd nicht völlig locker und gleichmäßig sein. Auch unterschiedlich ausgebildete Rückenmuskeln können den Reiter schief setzen. Übrigens kann auch umgekehrt ein schiefer Reiter den Bewegungsablauf des Pferdes stören.

Leider haben auch viele Schulpferde einen schlecht passenden Sattel. Und wenn das Pferd dadurch Rückenschmerzen bekommt, wird es sehr holperig und klemmend laufen und dich nicht besonders komfortabel und gerade sitzen lassen. Manche Pferde haben auch einfach einen Mordsschwung, das heißt, sie traben so schwungvoll mit großen, federnden Tritten, dass es dich fast bis auf den Mond aus dem Sattel heraushebt. Solche Probleme kannst du aber mit deinem Reitlehrer besprechen, der dann bestimmt eine Lösung findet, denn ihr arbeitet ja gemeinsam an dem Ziel, den Idealsitz zu erreichen. Jeder Reitanfänger beherrscht einzelne Teile des Idealsitzes schon ganz gut. Die Aufgabe des Reitlehrers ist es nun, das zu verfeinern. Mit gebrülltem »Kopf hoch!« und »Hacken tief!« hat das allerdings nichts zu tun, sondern mit viel Geduld, die er, dein Schulpferd und auch du aufbringen müsst.

Der Dressursitz

Er ist die Grundlage für das Reitenlernen und zeichnet sich durch alle vorher beschriebenen Merkmale aus. Besondere Kennzeichen sind ein senkrechter Oberkörper, tiefes Knie und langes Bein. (Auf der Sonderseite »Mentales Training« findest du eine »innere Hilfe«, um diese äußere Form annehmen zu können.)

Du wirst in deinem Reiterleben immer wieder hören: Die Schwerpunkte von Reiter und Pferd müssen übereinstimmen. Das klingt sehr kompliziert, ist es aber eigentlich nicht. Jeder Körper hat seinen ganz eigenen Schwerpunkt, das ist die Mitte des Körpers, von der aus er sich nach oben oder unten, nach links oder rechts ausbalanciert. Lehnst du dich zu weit über deinen Schwerpunkt hinaus auf eine Seite und hast keine Stütze, dann verlierst du das Gleichgewicht und fällst um. Auch das Pferd bewegt sich um seinen Schwerpunkt herum und muss nun zusätzlich noch

TIPP Immer dran denken: Einatmen spannt den Körper. Ausatmen entspannt ihn. Atmen in regelmäßigem Rhythmus bringt genau die richtige Portion Körperspannung, die du zum Reiten brauchst.

schauen, dass es mit dir als Reiter auf seinem Rücken im Gleichgewicht bleibt.

Dein Schwerpunkt befindet sich etwa eine Handbreit unterhalb deines Bauchnabels. Der des Pferdes befindet sich zwar auch in etwa in seiner Körpermitte, aber durch seine großen Bewegungen wandert er unter deinem Po hin und her. Du als Reiter musst also geschmeidig und weich deinen Schwerpunkt verlagern können, um ihn dem des Pferdes anzupassen. Deshalb sollen Reiter zwar ruhig, aber nicht stocksteif sitzen, sondern vielmehr locker im Becken und in der Hüfte mitschwingen können. Nur wenn du einen ausbalancierten, geschmeidigen Sitz hast, kann das Pferd auch wahrnehmen, wenn er sich für eine bestimmte Hilfe verändert.

Ganz wichtig für einen mitschwingenden Sitz ist wieder einmal eine regelmäßige und freie Atmung, denn dann kann dein Körper locker bleiben. Wenn du aber vor lauter Anspannung vergisst auszuatmen, wird dein Körper stocksteif. Gerätst du also mal in Stress auf dem Pferd, dann atme bewusst aus, denn das entspannt euch beide wieder. Im Übrigen lässt sich das sehr schön auf die verschiedensten Situationen deines ganzen Lebens übertragen, auch ohne Pferd unter dem Po.

Der Entlastungssitz

Bei ausgedehnten Geländeritten und beim Springen wird oft im Entlastungssitz geritten, auch junge Pferde ohne ausreichend trainierte Rückenmuskulatur werden so an die Belastung gewöhnt. Die Steigbügel werden hierfür um etwa zwei Löcher kürzer geschnallt, so kannst du dich besser in den Bügeln ausbalancieren. Auf Geländeritten ist es auch rückenschonender für das Pferd, wenn du beim Reiten über Bodenwellen, abgebrochene Äste usw. in den Entlastungssitz gehst. Ebenso beim langen Galopp über Wiesenwege, von dem du sicher schon träumst. Zwischendurch, wenn der Weg eben und das Pferd gemütlich im Schritt unterwegs ist, kannst du natürlich wieder den Normalsitz einnehmen. Beim Springtraining ist es ganz sinnvoll, im Entlastungssitz zu reiten. Aus dieser Position heraus kann der Reiter blitzschnell in den Springsitz gehen, nämlich dann, wenn das Hindernis überwunden wird. Genauso schnell kann er vom Entlastungssitz in den Dressursitz wechseln, wenn eine Distanz (lange Strecke zum nächsten Hindernis) ansteht und er sein Pferd vielleicht aus dem Sitz heraus noch mal etwas ruhiger und gesetzter galoppieren lassen will. Speziell für dich als Anfänger wird er die allerersten Trabversuche mit Sattel an der Longe erleichtern, denn so richtig aussitzen und mitschwingen musst du ja nun Schritt für

Für den korrekten Dressursitz sollten die Steigbügel noch etwas länger sein.

DAS MUSST DU DIR FÜR DEN ENTLASTUNGSSITZ MERKEN:

- Dein Po bleibt am, aber nicht fest im Sattel.
- Der Oberkörper darf ein kleines bisschen vorgeneigt werden.
- Dein Gewicht verteilt sich jetzt über deine Knie und Oberschenkel mehr auf die Seiten des Pferdes.
- Die Unterschenkel dürfen nicht nach hinten rutschen, sondern bleiben an ihrem Platz.

Schritt erst lernen. Damit du dabei nicht verkrampfst, wird zwischendurch auch immer wieder mal der Entlastungssitz eingenommen. In dieser Position kannst du dein Gewicht über das Durchfedern in den Hüft-, Knie- und Fußgelenken butterweich abfangen und wirst nicht so gestoßen.

Diana im Entlastungssitz.

Der Springsitz (leichter Sitz)

Damit du beim Springen deinem Pferd so richtig gut den Rücken frei machen kannst, musst du deine Bügel für den Springsitz nun nochmals um ca. 3 Löcher verkürzen. Insgesamt musst du also die Bügel vom Dressur- zum Springsitz um fünf Löcher verändern. Das hängt natürlich auch ein bisschen von den Proportionen deiner Ober- und Unterschenkel ab und von der Beschaffenheit des Sattels. Auf einem Dressursattel im Springsitz mit 5 Loch kürzeren Bügeln zu reiten kann abenteuerlich werden. Da der Dressursattel ja ein recht gerades und langes Sattelblatt hat, kann es sein, dass deine Knie bei dieser Bügelverschnallung sogar vor dem Sattelblatt liegen. Das ist nicht sehr sinnvoll, denn es kann deine Knie ziemlich wund reiben und bietet dir auch keinen sicheren Halt beim Springen. Wie du siehst, müssen Ausrüstung und das, was du mit dem Pferd unternehmen willst, schon zusammenpassen. Ein paar kleine Cavalettis kannst du

IM EINZELNEN SIEHT DER SPRINGSITZ SO AUS:

- Dein Po wird aus dem Sattel angehoben und nach hinten geschoben.
- Der Oberkörper wird nach vorne geneigt, aber der Rücken bleibt dabei gerade.
- Die Füße sind etwas mehr durch die Steigbügel geschoben, damit du besser darauf balancieren kannst.
- Die Knie- und Hüftgelenke sind nun wesentlich mehr gebeugt und können weich mitfedern.
- Die Unterschenkel dürfen nicht nach hinten rutschen und liegen ruhig am Pferdebauch.
- Deine Hände trägst du weiter vorne am Pferdehals. Als Anfänger darfst du dich bei den Übungen auch mal am Pferdehals abstützen, um die Balance zu halten.

gut auch im Dressursattel überspringen, mit nur etwas kürzeren Bügeln, aber wenn es dann mal um richtige Hindernisse geht, muss umgesattelt und umgeschnallt werden. Du wirst nach ein paar Runden merken, dass es eine ganz schöne Portion Körperbeherrschung braucht, um die Bewegungen des Pferdes im Springsitz auszuschwingen. Aber es macht auch richtig Spaß, so zu reiten, und das Training kräftigt deine Rücken- und Beinmuskulatur. Außerdem lockt dich ja der tolle Galopp im Gelände und dafür musst du gut vorbereitet sein.

Wow, nur Fliegen ist schöner!

An der Longe

Die verschiedenen Sitzpositionen kannst du jetzt in der Bewegung üben. Dein Pferd wird – wie beim Voltigieren – vom Ausbilder an der Longe geführt. Du brauchst dich also nur um deinen Sitz zu kümmern, nicht ums Lenken. Damit du ein bisschen lockerer wirst und auch um dein Balancegefühl zu schulen, machen wir jetzt ein paar schöne Gymnastikübungen. Leg dazu die Zügel ruhig zusammengeknotet über den Hals des Pferdes, im Moment brauchst du sie nicht.

Schwinge nun mit beiden Armen etwa auf Schulterhöhe weit ausholend erst in die eine, dann in die andere Richtung. Der Kopf wird immer in Richtung Drehung mitgenommen, dein Po bleibt fest im Sattel, auch deine Beine verrutschen nicht. Danach machen wir eine tolle Übung zum »Obenbleiben«: Versuch mit der linken Hand deine rechte Zehenspitze zu greifen und umgekehrt. Deinen Po schiebst du dabei gut zurück, damit du nach vorn kein Übergewicht bekommst. Den Kopf

Julia macht Hüftkreiselübungen

darfst du auch nicht zu tief mit herunternehmen, sonst erwischt dich die natürliche Erdanziehungskraft. Nicht die Schenkel verrutschen lassen. Du lernst, deine Knie bei Bedarf fest am Sattel und dein Gleichgewicht zu halten.

Leichttraben

Da du noch nicht weich und geschmeidig der Pferdebewegung folgend im Trab aussitzen kannst, hilft das Leichttraben nicht nur dir, sondern entlastet auch den Rücken deines Pferdes. Platziere dazu den Steigbügel so unter deinem Fuß, dass du das Gefühl hast, du stündest auf sicherem Boden. So lässt sich dein Gewicht leichter abfedern. Nun lässt du dich bei jedem zweiten Trabtritt sanft aus dem Sattel heben und sitzt dann für einen Trabtritt ebenso sanft wieder ein. Hierbei geht es nicht um extra »hohes Aufstehen«, sondern eher um ein leichtes Herauswiegenlassen aus dem Sattel und auch nicht um »festes Einsitzen« beim erneuten Landen, sondern um ganz feines »Ansitzen« am Sattel.

Dein Oberkörper darf ein klein wenig nach vorn geneigt sein. Erst wenn du weiter bist in der Ausbildung, wird es dir auch gelingen, den Oberkörper schön gerade auszubalancieren, ohne dem Pferd beim Ansitzen in den Rücken zu plumpsen. Wichtig ist jetzt fürs Erste, dass dein Rücken beim leichten Vorneigen gerade bleibt und du kein Hohlkreuz machst. Hierfür musst du deinen Körper gut ausbalancieren können.

Im Entlastungssitz im Trab zählst du jetzt laut den Takt mit. Der Trab ist ein Zweitakt, das weißt du nun schon, also zähle eins – sitzen, eins – sitzen, eins – sitzen usw. Wenn du den Rhythmus hast, konzentriere dich darauf, bei »eins« aus dem Sattel herauszuwiegen und bei »sitzen« wieder weich einzusitzen. Behalte das laute Zählen ruhig noch ein paar Runden bei, es hilft dir, den Rhythmus zu halten.

Wenn du jetzt eine Stunde lang immer im gleichen Rhythmus traben würdest, wäre das sehr einseitig. Dein Pferd soll ja gleichmäßig ent- und belastet werden. Also musst du den Rhythmus wechseln lernen. Das heißt, du musst hin und wieder umsitzen, um mal den einen, mal den anderen Hinterfuß des Pferdes zu entlasten. Auch das kriegst du durch rhythmisches Zählen hin. Bring beim Zählen einfach eine Ungerade ins Spiel, dann klappt es. Zum Beispiel so: eins – sitzen – umsitzen. Diesmal, nur für den Moment des Umsitzens, bleibst du bei »sitzen« **und** »umsitzen« im Sattel und lässt dich erst wieder bei »eins« herauswiegen. Schon trabst du auf dem anderen Fuß. Beim Dressurreiten gilt die feste Regel: Getrabt wird auf dem inneren Hinterfuß **(Erklärungen zu innen und außen findet du auf Seite 105).** Da du das Fußfolge-Kapitel intensiv gelesen hast, weißt du, auf welches Bein du nun achten musst, um den Rhythmus richtig zu erwischen. Beim Trab schwingt ja immer ein diagonales Beinpaar vor. Wenn du also rechtsherum reitest, ist der rechte Hinterfuß der innere. Wenn das rechte Hinterbein vorschwingt, tut es gleichzeitig auch das linke Vorderbein (die äußere

Schulter), was du von oben an der Pferdeschulter schön sehen kannst. Das ist der Moment des Leichttrabens, also lass dich aus dem Sattel herauswiegen. Wenn die äußere Schulter wieder hinten ist, heißt es für dich (an-) sitzen im Sattel. Schau dir in aller Ruhe noch mal die abgebildete Grafik an, dann wird es dir wahrscheinlich klarer, aber stell dir dabei immer vor deinem inneren Auge vor, wie herum du gerade reitest.

DAS LEICHTTRABEN

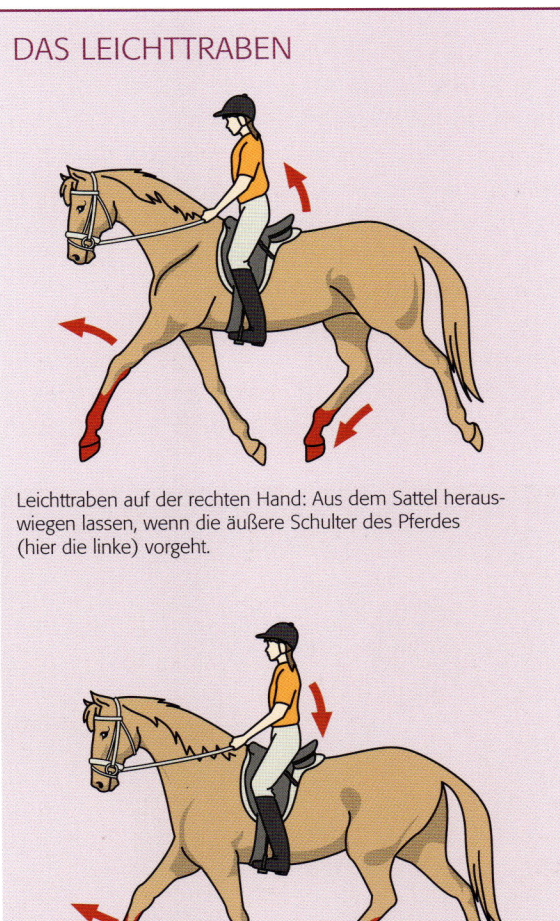

Leichttraben auf der rechten Hand: Aus dem Sattel herauswiegen lassen, wenn die äußere Schulter des Pferdes (hier die linke) vorgeht.

Weich einsitzen, wenn die innere Schulter des Pferdes (hier die rechte) vorgeht.

TROCKENÜBUNG ZUM LEICHTTRABEN

■ Setz dich auf eine Stuhlkante und stell deine Füße pferderückenbreit vor dich. Nun neigst du den Oberkörper ein wenig nach vorn und hebst deinen Po ein Stückchen vom Stuhl ab, dabei bleibt dein Rücken gerade.

■ Du kannst nun selbst ausbalancieren, wie weit du deinen Po zurückschieben musst, um kein Übergewicht nach vorn zu bekommen.

■ Wenn du es schaffst, dich vor dem Hinsetzen Zentimeter für Zentimeter abzustoppen, ohne nach hinten zu kippen, dann hast du dich schon gut ausbalanciert. Versuch, diese Übung ein paarmal hintereinander und im Rhythmus zu machen.

Loben will gelernt sein!

Wenn man gelobt wird, huscht einem ein Strahlen über das Gesicht. Gelobt werden fühlt sich für jeden Menschen gut an und erhöht die Freude an einer Aufgabe. Deinem Partner Pferd geht es da nicht anders. Ein freundliches »prima« oder ein sanftes Kraulen als Belohnung für etwas, was dein Pferd gut gemacht hat, hebt die Stimmung und garantiert weitere tolle gemeinsame Stunden. Natürlich bist du in deiner Reiterlaufbahn noch nicht so weit, dass du völlig selbstständig mit dem Pferd arbeiten kannst. Deshalb wird es noch nicht so viele Situationen geben, in denen du das Loben üben kannst. Aber es ist gut, schon ganz zu Anfang zu wissen, wann, warum, wo und wie das Lob im Umgang mit Pferden angebracht ist.

Gut gemacht!

Mal ehrlich: Spornt es dich zu Höchstleistungen an, wenn dein Lehrer oder dein Sporttrainer dich unter Druck setzen und alles, was du tust, als Selbstverständ-

Loben in Form von sanfter Zuwendung.

lichkeit nehmen, ohne ein einziges Wort des Lobes oder Dankes für deine Leistungen? Pferde brauchen eine positive Rückmeldung für ihre Mitarbeit – genauso wie wir Menschen. Bitte stell deinem Pferd aber auch Aufgaben, die es lösen kann – denn das erhöht seine Chance, ein Lob von dir einzuheimsen.

Neue Aufgaben solltest du in kleinen Schritten erarbeiten, denn wenn du gleich alles perfekt machen willst, bringst du das Pferd und dich selbst in Stress und bestimmt geht ihr danach beide frustriert vom Reitplatz. Gehe bei neuen Dingen Schritt für Schritt vor und mache dein Pferd und dich damit sicherer und selbstbewusster. Wenn ein kleiner Teil gut klappt, dann lobe es überschwänglich, denn es ist der richtige Weg zum Ganzen hin. Das Pferd merkt: »Aha, das war wohl prima, da mach ich gerne weiter mit!«

Ein »Wort« zu Lob und Tadel

Deine Stimme kann sehr viel zu einer fröhlichen Trainingsatmosphäre beitragen. Lass auch das Pferd an deiner Freude und Begeisterung durch deine Stimme teilhaben oder stecke es sogar damit an. Es fühlt jeden Hauch einer Veränderung in deiner Stimmlage und kann ganz genau abwägen, ob seine Leistung eben so weit »ganz nett«, »schon besser« oder »super gut« war. Allein schon ein heiteres Lächeln überträgt eine gute und gelassene Stimmung auf dein Pferd. Denn wenn du lächelst, entspannt sich dein ganzer Körper. Das signalisiert auch dem Pferd ein gutes Gefühl. Es spricht nichts dagegen, mit deinem Pferd zu sprechen, denn auch Pferde haben durchaus eine Menge Laute, mit denen sie sich ausdrücken können, und unglaublich viel Gefühl für Stimm(ung)en.

Das Wort »Strafen« sollte eigentlich aus dem Reiterwortschatz gestrichen und durch »faire Konsequenz« ersetzt werden. Bietet das Pferd dir etwa eine Übung, die du gar nicht verlangst, dauernd von selbst an, dann reicht ein deutlich gesprochenes »Nein, Freundchen, das lässt du mal lieber!« fast immer aus, um es wieder auf den Teppich zu holen.

Bei der Dressurarbeit ist es oft ein Zeichen von großer Mitmachbegeisterung, wenn dein Pferd dir die Lektion quasi Sekundenbruchteile vor deinem Gedanken daran schon vorwegnimmt – es beispielsweise schon vor dem Punkt angaloppiert, an dem du das eigentlich vorhattest. Und es ist auch ein wunderbares Zeichen für eine stimmige »Gedankenübertragung« zwischen euch beiden. Natürlich sollte bei einem Turnier nicht das Pferd den Ablauf der Dressuraufgabe bestimmen. Aber auch für diesen Fall gilt: Bitte nicht strafen, sondern das Mitdenken deines Pferdes als Geschenk annehmen und durch sanftes Eingreifen wieder in dein Programm lenken. So aufmerksamen Pferden sollte man nicht die Freude an der Mitarbeit nehmen, sondern sie darin unterstützen, selbstbewusste und denkende Sportpartner zu sein. Der Lohn für dich ist ein Pferd, das schon allein durch seine stolze Ausstrahlung Punkte sammelt.

In kritischen Situationen darfst und musst du dich zwar unbedingt durchsetzen, sprich, das Pferd beherzt von dir wegschicken, wenn es gegen dich rempelt – wenn es sein muss, auch mal mit einem kräftigen Gertenklaps. Richtig und bewusst angewandte Konsequenz ist vollkommen in Ordnung. Grobheit und Zorn jedoch am Pferd auszuleben ist völlig tabu und überaus sinnlos, denn es zerstört auf ewig das Grundvertrauen des Pferdes in uns Menschen. Außerdem liegt es immer an uns selbst, ob unsere Pferde das Verlangte verstehen oder nicht. Ein kreischendes und fuchtelndes, uns gegenüberstehendes Wesen wirkt doch eher lächerlich als furchterregend, oder?! Die coole Einstellung deinem Pferd gegenüber erfordert natürlich von dir sehr viel Wissen um seine Lebensgewohnheiten, jede Menge Geduld, Fairness und auch, dass du dich selbst im Griff hast.

Kleiner Praxistest

Als Praxisübung und Kontrolle zur Alltagstauglichkeit des Lobens könntest du Folgendes tun: Wenn du heute vom Stall nach Hause kommst, dann sag doch deiner Mama mal wieder ein richtig dickes Lob. Einen Grund dafür gibt es bestimmt, denk mal nach. Vielleicht hat sie was Superleckeres gekocht oder dein Lieblings-T-Shirt frisch gebügelt. Du kannst sicher sein, dass es dir in den nächsten Tagen besonders gut gehen wird, denn – wie man in den Wald hineinruft, so schallt es auch heraus!

Kraulen ist besser als Patschen

Loben kannst du jederzeit mit der Stimme und als Verstärkung mit einem sanften Streicheln oder Kraulen der Hand am Hals oder Mähnenkamm. Ein festes Klopfen am Hals mit der flachen Hand kann das Pferd nicht wirklich als Lob deuten, denn diese Form der Liebkosung fehlt im Herdenleben. Es kann sogar sein, dass dein Pferd sich richtig erschreckt, wenn du mit der flachen Hand auf seinen Hals donnerst. Das gegenseitige

Zwei, die sich gut verstehen!

Fellchen-Kraulen an der Mähne dagegen signalisiert ganz deutlich: Bist ein toller Kumpel! Für dein eigenes Handling beim Reiten ist das kraulende Lob ebenfalls einfacher zu bewerkstelligen als der Patscher mit der ganzen Hand, bei dem meist die Zügel einhändig losgelassen werden. Kraulen an der Mähne oder sanftes Streicheln am Hals kriegst du auch mit Zügel in der Hand gut hin.

Liebe geht durch den Magen

Oje, das Futterlob. Hierüber wird viel diskutiert unter den Reitersleuten. Die einen können nicht ohne, übertreiben es aber leider oft maßlos, die anderen verteufeln es als völlig unnötig. Tatsache ist: Aus unserer menschlichen Sicht betrachtet wissen wir nur zu genau, wie gut eine Anerkennung in Form eines Geschenkes tun kann. Für Pferde ist »das« Geschenk für eine erbrachte Leistung eindeutig das Futter. Das Futterlob ist sozusagen ein Highlight und ein ganz großer Anreiz zum Mitmachen und Lernen. Wenn du die Leckerchen gezielt einsetzt,

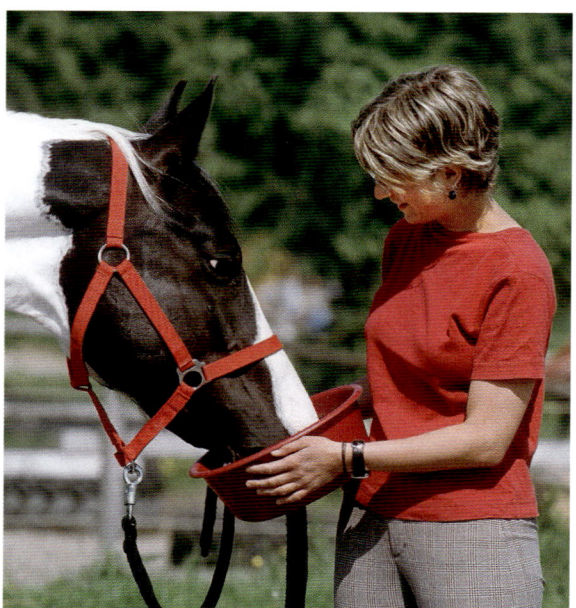

Liebe geht durch den Magen! Und mit leckerer Bestechung geht alles besser.

ist auch nichts Negatives zu befürchten. Stopfe dein Pferd aber bitte nicht wahllos und jederzeit mit Leckerlis voll, denn dann kann es durch die Leckerchen-Gabe nichts lernen. Im Gegenteil: So erziehst du dir nur immer frecher werdende und drängelnde Bettler, die es dann irgendwann an jeglichem Respekt dir gegenüber fehlen lassen – du bist für das Pferd zu einem wandelnden Futterautomaten geworden. Das Pferd kann nichts dafür, denn es handelt lediglich nach den ihm angeborenen natürlichen Instinkten, die da lauten: Futter für den Boss, wann immer er kriegen kann, und je mehr Futter, desto größer die Überlebenschance.

Einen guten Bissen solltest du ganz konsequent geben:

- als Begrüßung, um ein freudiges »Prima, jetzt kommt Abwechslung« anzukündigen oder
- als Betthupferl, wenn du nach der Arbeit dein Pferd auf die Koppel oder in den Stall bringst, und
- eben direkt nach gelungenen Übungen.

Gib die Leckerlis aber nie zu nah am Pferd, sondern halte ein bisschen Abstand und reiche sie ihm dann hinüber. Du selbst bestimmst, wo und wann es die Futtergabe bekommt. Lass das Pferd die Taschen deiner Jacke bitte nicht mit der Nase nach Nachschub durchsuchen, auch wenn du das noch so süß findest. Disziplin und Konsequenz sind hierbei von deinem Pferd und von dir gewünscht. Prima wäre es, das Pferd vor einem Lob immer anhalten zu lassen – wenn du beispielsweise gerade mit ihm Gassi gehst, um ihm was Neues auf dem Reiterhof zu zeigen oder bei der Bodenarbeit. Du sagst »Haaalt« oder »Steeeh« und fütterst das Pferd in einer tiefen Kopf-Hals-Position, also mit der Nase fast am Boden, denn diese Haltung ist ohnehin eine Entspannungsposition. Kauen an sich entspannt ebenfalls, und so kannst du die weiteren Aufgaben mit einem wahrscheinlich völlig relaxten Pferd angehen. Außerdem ist dieses »Halten« beim Füttern gleichzeitig so eine Art Denkpause, in der das Pferd mit der angenehmen Leckerliportion im Maul entspannt mümmelnd darüber grübeln kann, was es da eben so Tolles gemacht hat, dass es diese leckere Futtergabe bekam.

Diese Methode kannst du auch durchaus beim Reiten so anwenden: Wenn dein Pferd bei einer Übung Fortschritte gemacht hat, dann halte an und füttere es seitlich unten, mit gebogenem Hals, vom Sattel aus. Zusätzlicher Effekt: eine schöne seitliche Biegsamkeit des Halses, wenn du die Seiten gleichmäßig abwechselst. Der Zeitpunkt der Leckerligabe ist ganz wichtig. Erfolgt sie sofort auf eine gute Leistung, kann das Pferd die beiden Ereignisse miteinander verknüpfen. Sagst du gleichzeitig konsequent immer das gleiche liebe Wort, z. B. »brav« oder »fein gemacht«, dann ersetzt irgendwann dieses Wort einen Teil der Leckerlis, denn dein Pferd »fühlt« sich gefüttert. So ein Stimmlob ist auch viel schneller gesprochen als ein Leckerchen aus der Tasche gekramt. Auch in einer Gruppenreitstunde ist es sinnvoller, das Stimmlob zu wählen, als anzuhalten und das Pferd zu füttern – stell dir vor, was das sonst für ein Chaos gäbe!

Brotlos glücklich

Füttere Möhren- oder Apfelstückchen oder im Reitsportgeschäft erhältliche Leckerlis mit guten, gesunden Inhaltsstoffen, aber bitte nicht Zuckerstücke oder tonnenweise altes Brot. Das ist nicht gut für die Zähne und bekommt vielen Pferden auch nicht.

Später, wenn du mal ganz selbstständig mit deinem Pferd neue Übungen einstudierst, sind zum Beispiel nach einer anstrengenden Arbeitsphase beim Reiten zwei, drei Runden Schritt am hingegebenen Zügel schon eine echte Belohnung für dein Pferd. Es kann dabei seine Muskulatur dehnen und wieder entspannen, auch seelisch. Schieb doch solche Belohnungspausen beim Erlernen und Üben neuer Aufgaben immer wieder mal ein. Sie wirken wahre Wunder – auch bei dir als Reiter. Denn auch du brauchst das Wechselspiel von Anspannung und Entspannung (körperlich und seelisch), um gute Leistungen und Ergebnisse zu erzielen.

Der Ton macht die Musik!

Du weißt selbst, dass du völlig verkrampfst, wenn du einen Reitlehrer hast, der nur brüllt. Deinem Pferd geht es nicht anders. Diese Art von Lehrer, die es sicher in jeder Sportart gibt, schafft es nicht, sein Wissen an den Schüler/das Pferd zu bringen. Es fehlt ihm an Coolness, oft hat er sehr wenig Fachwissen, was er dann durch Großmäuligkeit zu überspielen versucht. Ein guter und wissender Reitlehrer ist immer auch ein einfühlsamer Pädagoge, der selbst nach Lösungen und Erklärungsmöglichkeiten sucht, wenn er merkt, dass seine Schüler ihn nicht richtig verstanden haben. Vor diesen Ausbildern hat man Respekt, aber keine Furcht, weil sie einfach klasse sind. Wenn du genau so klasse mit deinem Pferd umgehst, dann wird es künftig sehr, sehr viele Situationen geben, in denen du es loben kannst. Der Spaß am Reitsport erhöht sich dadurch auf jeden Fall und es schadet gewiss auch im normalen Leben nicht, mit einer guten, fröhlichen Stimmung auf andere Wesen zuzugehen!

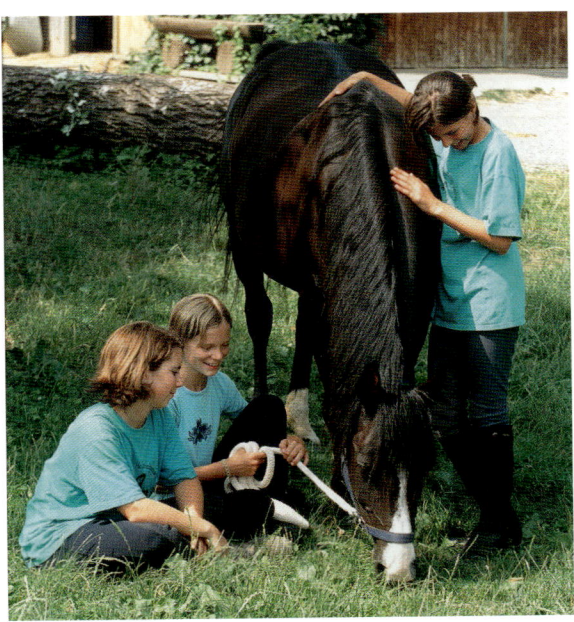

Sich nach dem Reiten liebevoll um das Pferd kümmern – auch eine Form von Lob.

MENTALES TRAINING

Du hast sicher auch schon mitbekommen, dass man durch eine positive innere Einstellung zu positiven Ergebnissen kommen kann. Auch gute Gedanken, die andere für dich haben, können stärkend und motivierend wirken.

Pferde sind sehr sensible Wesen, sie nehmen jede deiner Stimmungen sofort auf und reagieren spontan – gewissermaßen halten sie dir einen

Entspannt genießen.

Spiegel vor. Ein Grund mehr, mit richtig mieser Laune gar nicht erst auf das Pferd zu steigen. Die Reitstunde geht garantiert »in die Hose«, da kannst du sicher sein.

Deine freudige Stimmung vor dem Reiten, deine Freundlichkeit dem Pferd und deinen Mitreitern gegenüber sind aber im Gegenzug eine Garantie für vergnügliche Stunden miteinander. Zugegeben, der Schulalltag ist sicher nicht immer einfach zu bewältigen und da kann man durchaus mal ein Tief haben, aber gerade dann ist es gut, wenn du weißt, wie du dich selbst wieder aus dieser Stimmung herausholen kannst. Versuche doch folgendermaßen, die »Aussagen« in deinen Gedanken umzuändern:

Denke nicht: Oje, hoffentlich bekomme ich heute beim Reiten nicht wieder den Amor, mit dem habe ich doch ein echtes Problem…

Sondern: Wenn ich heute wieder Amor reite, dann arbeite ich intensiv an dieser Herausforderung!

Denke nicht: Heute werde ich mich zusammennehmen, auch wenn ich Angst vor dem Galopp habe…

Sondern: Heute reite ich so entspannt, dass ich bis ans Ende der Welt galoppiere!

Wenn du selbst an dich und deine Vorhaben glaubst, dann klappt es auch! Versprochen!

Dein Pferd kannst du schon beim Putzen genauso positiv einstimmen. Versuche es mal – ich bin sicher, es funktioniert. Du massierst dein Pferd mit dem weichen Gummistriegel großflächig an der Seite. Wenn du auf der rechten Seite stehst und mit der rechten Hand putzt, legst du die freie linke Hand mit der Handinnenfläche leicht und warm auf den Pferdekörper. Jetzt schickst du ganz viel positive Gedanken vom Kopf über dein Herz bis in die Hand und von dort weiter an dein Pferd. Denk nur an wunderschöne Dinge, zum Beispiel tolle Ritte durch Blumenwiesen, mit deinen Freundinnen an der Koppel zu sitzen und Pferde zu beobachten, Gassi gehen mit allen Pferden zum Bach runter, um zu baden.

Du wirst ein deutliches Entspannen deines Pferdes beobachten können, da deine gute Stimmung sich tatsächlich auf dein Pferd überträgt, denn es fühlt mit ganz feinen Antennen, ob du gut drauf bist. Weißt du, es ist im Grunde ganz einfach, dein Pferd positiv zu motivieren – du musst nur bei dir selbst anfangen!

Bei der Feldenkrais-Methode stellst du dir vor deinem inneren Auge ein ganz bestimmtes Bild vor, um deinem Körper zu sagen: Nimm diese Haltung an. Auch das kannst du üben. Für diese mentalen Trainingseinheiten solltest du entspannt sein, denn dann sind die Ergebnisse besser. Manchmal hilft es, sich ein friedliches Plätzchen im Stall oder an der Koppel zu suchen.

Schließ deine Augen und achte nur auf deine ruhige, regelmäßige Atmung. Beim Einatmen spürst du nun ganz deutlich, wie dein Bauch sich ausdehnt und beim Ausatmen wieder einsinkt. Versuche, an gar nichts zu denken, bis du merkst, dass du ganz ruhig und locker geworden bist.

Du kannst für diese mentalen Sitzübungen ruhig auch auf dem Holzpferd Platz nehmen, dann können deine Beine frei baumeln. Schließe deine Augen bei dieser schönen Übung – dein Blick soll ja ins Innere gehen und nicht durch äußere Einflüsse gestört werden. Du sitzt ganz losgelassen und entspannt und lässt dich tragen. Dein Oberkörper ist aufgerichtet und die Beine hängen ganz ruhig und locker herunter. Deine Arme und Hände trägst du so, als ob du Zügel in der Hand hättest. Stell dir nun vor, ein wunderschöner bunter Vogel fliegt über deinem Kopf und hilft dir, ihn zu tragen. Federleicht fühlt sich das an und dein Kopf ist ganz frei und aufgerichtet, der Reithelm hat kein Gewicht mehr. Es ist überhaupt kein Problem, ihn zu tragen. An

deinem T-Shirt wächst auf Höhe des Brustkorbes eine Blume der Sonne entgegen, und je mehr sie sich der Sonne zuwendet, desto leuchtender wird ihre Farbe.

In deinen Händen trägst du hauchfeine Blätter, die du nach Hause bringen sollst, ohne sie zu zerknittern. An beiden Fersen, das kannst du ganz deutlich fühlen, hängen glitzernde, schwere Kristalle und Flusskiesel. Durch dieses schöne innere Bild hast du nun einen sehr guten Sitz eingenommen. Dein Kopf

wird gerade und aufrecht von deinem der Sonne entgegengestreckten Oberkörper getragen. Deine Zügelhände verkrampfen nicht, sondern sind locker geschlossen. Du sitzt gleichmäßig auf beiden Gesäßknochen und deine Beine sind schön lang nach unten gestreckt, mit leicht angehobenen Zehen. Stell dir ruhig öfter und in ganz verschiedenen Situationen solche inneren schönen Bilder vor. Du wirst erstaunt sein, wie es dir hilft, nicht nur körperlich, sondern auch seelisch besser klarzukommen.

So gut vorbereitet kannst du den Ausritt genießen.

Selbstständiges Reiten in der Bahn

Endlich! Jetzt kommst du auch allein mit dem Pferd in der Reitbahn zurecht. Eine Menge neuer Übungen kannst du jetzt ausprobieren. Und dein Sportpartner freut sich mit dir, denn er weiß, dass du ihn auch weiterhin gut behandeln wirst.

Reiten mit feinen Hilfen

Endlich darfst du auf der Reitbahn dein Pferd ganz allein lenken. Mit den richtigen Reiterhilfen ist das gar kein Problem: Durch Gewichtsverlagerung und die richtige Atmung, Schenkel- und Zügelhilfen sowie deine Stimme kannst du dich als Reiter schon gut mit deinem Pferd verständigen. Auch die Gerte kennst du – und zwar als Taktstöckchen und nicht als Mittel zur Strafe.

Du wirst nun ganz schön beschäftigt sein, dieses Sammelsurium von Verständigungsmöglichkeiten so sortiert und fein einzusetzen, dass die Übungen, die dein Reitlehrer dir aufgibt, auch gelingen. Und manchmal musst du ganz schön Überzeugungsarbeit leisten, um dein Pferd von der Gruppe wegzubekommen oder in eine andere Richtung zu reiten. Aber keine Bange, erst mal wird alles im Schritt ausprobiert.

Verkehrsregeln für Reiter

Auf der Reitbahn ist ganz schön was los. Damit es keinen Crash mit deinen Mitreitern gibt, musst du bestimmte Bahnregeln lernen: zum Beispiel, wer wann Vorfahrt hat, wie man aneinander vorbeireitet oder sich überholt. Diese Vorschriften machen es aber auf der anderen Seite auch viel leichter, mit deinen Reiterkollegen gemeinsam zu üben. Mit den Hufschlagfiguren, die ihr nun alle lernt, könnt ihr später mal, wenn aus euch sichere Reiter geworden sind, eine tolle Mannschaftsquadrille reiten.

Es wird bunt !

Damit die Kreise und Linien, die Punkte und Ziele für dich und das Pferd deutlicher in Erscheinung treten, sind in der ganzen Bahn Utensilien aufgestellt. Um eine blaue Tonne herum ist es für dich viel leichter, eine Volte zu reiten. Beim Zickzackslalom um bunte Bodenstangen wird dir ganz schnell klar, was Biegung bedeutet. Und das Tolle ist: Dieser kleine Hindernisparcours beim Dressurreiten bereitet dich bereits auf das Reiten im Gelände vor.

Reiter müssen ganz viel wissen

Ein Pferd ist oft stundenlang mit einem Reiter auf seinem Rücken in Bewegung. Bestimmt leuchtet es dir schon längst ein, dass gerade der Reiter dazu beitragen muss, das Pferd bei so einer Beanspruchung auch gesund zu halten. Das kannst du aber nur, wenn du wirklich Bescheid weist über deinen neuen Freund. Du musst dich auskennen mit seinem Körper, seinem Bewegungsablauf, seinen Bedürfnissen und seiner Seele. Und du musst dich bemühen, ausbalanciert zu sitzen, dann wird es dich mit Freuden durch die Bahn und durchs Leben tragen, dann geht dein Pferd mit dir durch dick und dünn.

Die Hilfen

Oh, Hilfe, mein Pferd läuft in die falsche Richtung! Ja, dieser Hilferuf trifft wirklich den Kern des Problems. Tatsächlich hast du es an einer oder mehreren »Hilfen« fehlen lassen, ohne die die Verständigung mit dem Pferd nicht funktioniert. Als Reiter im Sattel gibst du nämlich Signale mit deinem Körper, an denen das Pferd erkennt, was es tun oder lassen soll. In der Reitersprache heißen diese Signale: die Hilfen.

Richtig gute Reiter verständigen sich mit ihrem Pferd wie von Zauberhand. Du siehst fast keine Hilfen mehr. Das sollte auch dein Ziel sein: eine harmonische Verständigung mit deinem Pferd, die für den Zuschauer kaum mit dem Auge erkennbar ist.

In dieser gelassenen Stimmung gelingt die Reitstunde sicher gut und ihr habt beide Spaß.

Zu den Hilfen gehören Gewichtsverlagerung (oder Gewichtshilfen), Schenkelhilfen und Zügelhilfen. Als Hilfsmittel werden die Stimme und die Atmung, in manchen Fällen auch – wohldosiert – Gerte oder Sporen eingesetzt.

Alle Hilfen und Hilfsmittel müssen sinnvoll zusammenwirken, damit dein Pferd ihre Sprache versteht. Ihre richtige Dosierung und Kombination – also die nötige Sanftheit oder Stärke der Hilfen und welche in einem bestimmten Fall angewendet werden – kannst du trainieren und lernen. Das ist dann fast so wie ein Frage-und-Antwort-Spiel zwischen dir und dem Pferd: Du musst die Fragen so geschickt stellen, dass sie gleich verstanden und wie aus der Pistole geschossen beantwortet werden. Pferde mögen es übrigens, wenn du ihnen ein abwechslungsreiches Programm bietest und sie sich nicht langweilen müssen – einfach um die Bahn reiten finden sie ebenso öde wie du.

Für den Einsatz aller Hilfen und Hilfsmittel gibt es so eine Art Faustregel: Du musst immer ganz fein und behutsam anfangen, wenn du dem Pferd etwas mitteilen willst. Wenn das Pferd dich nicht versteht, dann gibst du deine Hilfen deutlicher und verstärkst sie immer weiter, bis es reagiert.

Hat es gleich verstanden und tut, was du möchtest, dann frag auch nicht weiter, sondern beende die Hilfe, denn sonst weiß es ja nicht, dass es deine Forderung schon erfüllt hat. Ein freundliches »Prima gemacht!« oder

TIPP Zu diesem Zeitpunkt entscheidet am besten dein Reitlehrer, ob du eine Gerte benutzen sollst, und du fragst ihn dann einfach, wie und wann du sie einsetzt.

ein kleines Streicheln am Mähnenkamm verstärkt beim Pferd noch zusätzlich die Freude an der Arbeit.

Gewichtsverlagerung und Atmung

Das Pferd spürt jede kleine Veränderung in deinem Körper, deshalb sind auch die Gewichtshilfen so (ge-) wichtig. Wenn du sie richtig dosiert anwenden kannst, brauchst du nur noch klitzekleine Schenkel- und Zügelhilfen zu geben. Sicher kannst du ihren Sinn beim praktischen Reiten auch sehr schnell verstehen, denn das Gleichgewicht ist ja für das Pferd genauso wichtig wie für dich als Mensch.

Vielleicht bist du schon mal im Urlaub mit deinen Eltern gewandert und hattest einen Rucksack auf dem Rücken. Wenn der schief beladen ist, also die schweren Limoflaschen alle nach links und die leichten Kekse nach rechts, dann gerätst auch du in Schieflage und versuchst immer wieder, ihn auf deinem Rücken gerade zu ruckeln. Dem Pferd geht es nicht anders. Wenn du als Reiter nicht im Gleichgewicht sitzt, versucht das Pferd, dies auszugleichen.

Sitzt du nach links belastend, dann geht es auch nach links und tritt sozusagen unter dein Gewicht, um euer gemeinsames Gleichgewicht wiederherzustellen. Dieses Gleichgewichtsbedürfnis ist eine große Chance für uns Menschen, die Pferde mit ganz wenig Aufwand zu steuern (diese Hilfe nennt man in der Reitersprache **einseitig belastende Gewichtshilfe**).

Eine kleine Verlagerung deines Oberkörpers nach vorn oder hinten reicht oft aus, um das Pferd anzutreiben oder zurückzunehmen. Also kannst du durch die Gewichtshilfen auch das Tempo kontrollieren (**beidseitig belastende Gewichtshilfen**).

Stell dir mal vor, du sollst einen Kreis, eine sogenannte Volte, auf der Bahn reiten. Dafür belastest du zum Abbiegen die innere Pobacke. Das ist für dein Pferd

WIE IST DIE STIMMUNG?

Bist du vielleicht heute mit dem linken Bein aufgestanden? Du willst eigentlich nur in Ruhe gelassen werden? Auch Pferden geht es manchmal so. Das musst du im Hinterkopf haben, wenn du dich mal wunderst, warum heute nichts so recht klappt beim Reiten.

schon mal ein sicheres Zeichen, dass es nun nicht mehr geradeaus gehen soll. Wende auch deinen Blick in die Richtung, in die du reiten willst, dadurch dreht sich auch deine äußere Schulter mit vor und spätestens jetzt weiß dein Pferd, wohin es geht. Auf gar keinen Fall darfst du aber bei dieser Gewichtsverlagerung in der Hüfte

Auch ungleiche Steigbügel können zu einem schiefen Sitz führen. Also im Spiegel kontrollieren.

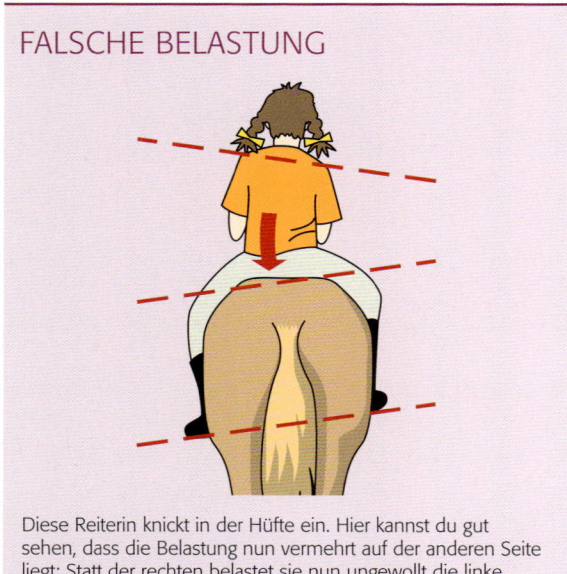

FALSCHE BELASTUNG

Diese Reiterin knickt in der Hüfte ein. Hier kannst du gut sehen, dass die Belastung nun vermehrt auf der anderen Seite liegt: Statt der rechten belastet sie nun ungewollt die linke Körperhälfte.

einknicken, denn dann würde automatisch die andere Körperseite ungewollt belastet und das Pferd könnte deine Anweisungen nicht verstehen. Schau dir mal die Grafik oben an, dann wird es verständlicher.

Bei dieser ganzen Kreiselaktion bleibt dein Oberkörper gerade und aufgerichtet und beide Beine lang, der äußere Schenkel liegt verwahrend hinter dem Gurt (siehe auch Seite 95). Wenn du bewusst darauf achtest, dass besonders dein Bein auf der stärker belasteten Pobackenseite lang ist und du hier nicht dein Knie hochziehst, knickst du auch nicht so schnell in der Hüfte ein. Sobald du wieder geradeaus reiten willst, musst du auch dein Becken, deine Schultern und deinen Blick wieder geradeaus richten.

Wenn du dich auf dem Pferd mehr aufrichtest, also spannst, kannst du es dadurch auffordern, flotter zu laufen. Es wird aufmerksamer, weil du es durch deine Körperhaltung signalisierst. Entspannst du dich und sitzt dadurch mehr ein, kannst du es ruhiger reiten oder

sogar anhalten. In Verbindung mit der entsprechenden Atmung reagiert dein Pferd ganz fein auf diese Hilfen. Bei ganz jungen Pferden oder zum Beispiel beim Rückwärtsrichten wird auch die **entlastende Gewichtshilfe** eingesetzt. Hierbei wird das Reitergewicht mehr auf die Oberschenkel verlagert, ohne den Po dabei allerdings aus dem Sattel zu nehmen. Gute Reiter können ihre fein gerittenen Pferde mit diesen Gewichtshilfen sogar ohne Zügel, nur mit einem Halsring, kreuz und quer durch die Reitbahn steuern.

Schenkelhilfen: Impulse geben

Deine Unterschenkel liegen beim Reiten ruhig am Pferdebauch an. Willst du nun zur Tempoveränderung eine **treibende Schenkelhilfe** geben, benutzt du dafür deine Wade. Meist genügt es schon, diese anzuspannen und etwas mehr anzulegen, um dem Pferd klarzumachen, dass es nun seine Hinterbeine vermehrt benutzen soll. Je nachdem, welches Hinterbein du beeinflussen möchtest, wählst du immer den Schenkel der entsprechenden Seite.

Der treibende Schenkel liegt immer am Gurt, der **verwahrende Schenkel** etwa eine Handbreit dahinter. Er hat die Aufgabe, das seitliche Heraustreten der Hinterhand zu verhindern. Auf einer gebogenen Linie brauchst du beide Schenkel gleichzeitig. Wenn du also rechtsherum auf einer Zirkellinie reitest, ist in diesem Fall dein rechter innerer Schenkel der treibende und biegende, dein linker äußerer Schenkel der verwahrende. Er ist nun dafür zuständig, dass dein Pferd im

TIPP Deine Blickrichtung ist sehr wichtig beim Reiten. Sie darf nie starr auf einen Punkt gerichtet sein, das macht deinen Körper ganz steif. Versuche mit deinen Augen auch das Geschehen am Rande der Reitstunde wahrzunehmen, dann bleibst du locker und entspannt.

ganzen Körper gebogen auf der Zirkellinie bleibt. Vergisst du den verwahrenden Schenkel oder setzt ihn nicht im richtigen Maß ein, kann es sein, dass die Hinterhand deines Pferdes nach außen ausschert und es mehr oder weniger ungebogen, also gerade, auf dem Zirkel läuft. Damit wäre der Sinn dieser Übung aber verfehlt. Wirf einen Blick auf die Grafik rechts, dort ist schön zu sehen, wo deine beiden Schenkel platziert sein sollen und was sie bewirken.

Schenkelhilfen sollten wie Impulse eingesetzt werden, also nur kurz, knapp und genau. Wenn du ständig drückst und bohrst, stumpft dein Pferd ab und es kann nicht verstehen, was es eigentlich tun soll, wo es doch das Gewünschte längst erledigt hat. Also immer nur anwenden, wenn du dem Pferd etwas Neues mitteilen möchtest oder wenn das, was ihr gerade macht, nicht mehr so richtig schwungvoll ist. Sobald es reagiert, lässt du deine Beine wieder ruhig am Pferdebauch ruhen.

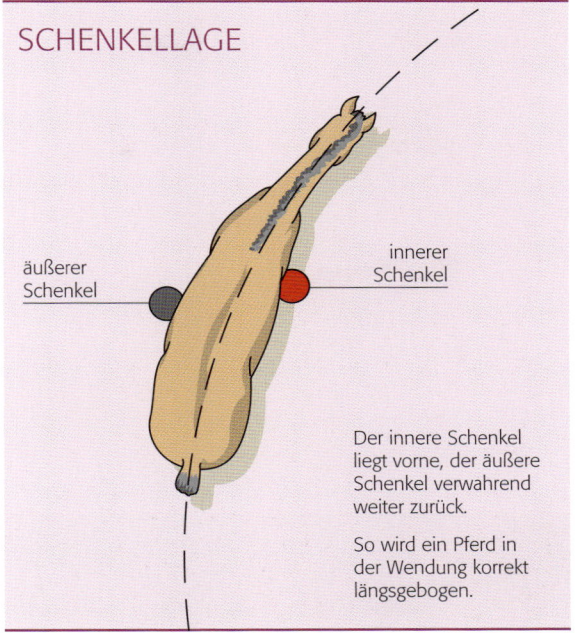

SCHENKELLAGE

äußerer Schenkel

innerer Schenkel

Der innere Schenkel liegt vorne, der äußere Schenkel verwahrend weiter zurück.

So wird ein Pferd in der Wendung korrekt längsgebogen.

Der Steigbügel liegt korrekt unter dem Zehenballen.

Diese vier verstehen sich prächtig.

Die Fußfolge im Schritt: Wann musst du treiben?

Du fühlst dich ja mittlerweile schon wie zu Hause auf dem Pferderücken, da wird es dir nicht schwerfallen, dich jetzt auf seine Fußfolge zu konzentrieren. (Schau dir vorher noch mal die Erklärungen und Zeichnungen zur Grundgangart Schritt auf Seite 42 in Ruhe an.)

Ohne Sattel oder eine andere Unterlage geht das natürlich viel besser, denn da kannst du hautnah fühlen und unterscheiden lernen, wann das Pferd seine Füße wohin setzt. Aber auch mit Sattel kannst und sollst du das lernen, denn als Reiter bist du ja für die gute Gymnastik

Augen schließen und nach innen horchen.

TIPP Auch wenn du noch nicht alle körperlichen Zusammenhänge im Bezug aufs Treiben begriffen hast, merk dir bitte eins: Dein linker Schenkel ist für das linke Hinterbein zuständig, dein rechter Schenkel für das rechte.

deines Pferdes zuständig – und ohne den Bewegungsablauf fühlen zu können, geht das nicht.

Da du hinten bekanntlich keine Augen hast, musst du spüren können, wann jeweils das eine oder andere Hinterbein des Pferdes abfußt – das heißt hoch in die Luft und nach vorn genommen wird, bis es dann wieder auf dem Boden auftritt. Das ist der entscheidende Moment, den du erkennen sollst. Denn in dieser Bewegungsphase, wenn das Hinterbein des Pferdes in der Vorwärtsbewegung ist, kann deine treibende Schenkelhilfe es so beeinflussen, dass es sein Hinterbein noch aktiver und weiter vorschwingt. Dieses »Untersetzen« ist wichtig für die Gesunderhaltung deines Partners, denn von Natur aus trägt das Pferd mehr als die Hälfte seines Gewichtes mit der Vorhand. Trägt es als Reitpferd noch zusätzlich das Gewicht des Reiters, musst du darauf achten, seine im Vergleich zu den Hinterbeinen wenig bemuskelten Vorderbeine nicht noch mehr zu belasten. Durch die entsprechenden Hilfen kannst du das Pferd dazu bewegen, die Hinterbeine stärker mitarbeiten und dadurch mehr Gewicht aufnehmen zu lassen.

Damit du dich ganz auf den Schrittrhythmus konzentrieren kannst, schließ deine Augen. Nun lässt du dich nicht mehr so schnell ablenken. Sitz ganz locker und gleichmäßig auf deinem Po und lass dich tragen. Eventuell kann auch ein Teamkollege dich und dein Pferd über bunte Bodenstangen führen. Sie helfen, die Bewegungen des Pferdes für dich noch deutlicher fühlbar zu machen, denn über den Stangen zieht das Pferd automatisch die Beine etwas stärker an. Wenn du das Gefühl hast, einer deiner Schenkel sei näher am Pferdebauch als der andere, dann ist der Zeitpunkt gekommen, um mit einem impulsartigen – also kurzen – Andrücken der Wade an den Pferdebauch, der treibenden Schenkelhilfe, dem Pferd mitzuteilen: Nimm doch diesen Hinterfuß bitte noch ein bisschen weiter vor. Schau mal auf das rechte Foto, da kannst du es gut erkennen: Das Pferd schiebt seinen Bauch immer über das Hinterbein, das am Boden ist; das tut es, um seinen eigenen Rücken zu stabilisieren. Also wird einer deiner Unterschenkel sozusagen immer vom Bauch mitgenommen. Der linke Hinterfuß hebt sich, der Pferdebauch schaukelt nach rechts außen über das Hinterbein, das sich am Boden befindet. Der linke Schenkel des Reiters ist fühlbar näher am Pferd, weil er mit nach innen schwenkt. Wenn du jetzt treibst, wird dein Pferd dazu motiviert, den linken Hinterfuß noch etwas mehr vor zu bewegen, bevor es ihn wieder auf den Boden setzt. Diese vermehrt arbeitende Hinterhand kann dann die Vorhand des Pferdes entlasten. Denk noch mal in Ruhe darüber nach! Ich bin sicher, über kurz oder lang wird es dir einleuchten.

Auf dem Reitplatz kannst du das Fühlen jetzt in Ruhe üben. Der Reitlehrer fragt dich: »Wann spürst du das linke Hinterbein des Pferdes abfußen?« Lass dir Zeit und fühl dich ein! Glaubst du, der richtige Moment sei da, sagst du laut: »Jetzt, jetzt, jetzt…«, immer im Schrittrhythmus, denn dein Pferd bewegt sich ja weiter. Sei nicht enttäuscht, wenn es nicht auf Anhieb so richtig gut klappt. Du fängst ja gerade erst an und nur Übung macht den Meister.

Zügelführung mit Gefühl

Die Zügel hältst du mit unverkrampften, aber geschlossenen Fingern zwischen dem Ringfinger und dem kleinen Finger. Denk an das Kapitel »Mentales Training« und stell dir vor deinem inneren Auge vor, du hättest einen kleinen Vogel zwischen deinen Fingern, dann wirst du die Hände bestimmt nicht zur Faust ballen. Mit verkrampften Fingern kann man nicht richtig reiten,

das schließt feine Hilfen aus und leider greift diese Verspannung auch auf deine Handgelenke, von hier auf Arme und Schultern und sogar bis zum Rücken und in die Hüften über.

Deine Hände stehen aufrecht, der Daumen liegt wie ein Dach locker oben auf dem Zügel und damit gleichzeitig auf dem Zeigefinger, über den das Zügelende läuft. Wie stark der Kontakt zum Pferdemaul ist, das ist bei allen Reitweisen unterschiedlich. Bei manchen ist ein ständiger Kontakt zum Pferdemaul gewünscht, bei anderen eher ein loser, lockerer Zügel. Einig sind sich aber alle darin, dass die Einwirkung über den Zügel immer mit weicher Hand erfolgen soll. Leider gibt es immer wieder

Das linke Bein fußt ab, der Bauch schwingt nach rechts.

Reiter, die das entweder nie richtig gelernt haben oder aber zu faul sind, ihren Pferden in Ruhe die Anlehnung (Verbindung von Reiterhand zum Pferdemaul) beizubringen. Ein ganz schlimmer Reiterfehler ist es, den Pferdekopf durch Zügelzug bis fast auf die Brust herunterzuziehen. Das ist kein korrektes »Gehen am Zügel«, sondern gesundheitsschädlich für die Pferde. Schau dir mal die drei Grafiken auf Seite 116 genau an, dann kannst du verstehen, wie schlecht es für den Rücken des Pferdes ist, wenn es mit den Zügeln gewaltsam »zusammengezogen« wird.

Auf dem Pferd musst du immer versuchen, eine gleichmäßige und weiche Verbindung zu dem empfindlichen Maul herzustellen. Auf gar keinen Fall darfst du versuchen, diese Verbindung zu erzwingen. Willst du in eine niedrigere Gangart wechseln oder überhaupt das Tempo verändern und es gelingt dir durch

Die Finger sind ganz locker geschlossen.

DAS PFERDCHEN-SPIEL

Vielleicht kannst du mal mit deinem Ausbilder gemeinsam organisieren, dass ihr miteinander Pferd und Reiter spielt. Es reicht schon, wenn du das Gebiss in den Händen hältst und deine Mitreiter die Zügelhilfen geben. Häng dir eine Trense so über den Kopf, dass du vor dir in den Händen das Gebissteil halten kannst. Deine »Reiterin« steht nun hinter dir mit den Zügeln in der Hand. Du als »Pferd« machst nun kleine Bewegungen, seitlich, hoch und runter, immer mal anders. Wie ein Pferdekopf eben, der ja auch in Bewegung ist. Ihr alle werdet staunen, wie geschmeidig der Zügelführer reagieren muss, damit die Hilfen vorn, beim Pferd, nicht unangenehm ankommen. Das ist für alle Beteiligten eine lustige, aber auch sehr lehrreiche Übung.

He, Theresa, gib mal sanftere Paraden!

Gewichtverlagerung nicht, dann nutze die **annehmende Zügelhilfe**. Meist reicht es aus, wenn du lediglich die zügelhaltenden Finger ein wenig mehr zum Hand-inneren bewegst. Reicht das nicht, dann drehst du aus deinem lockeren Handgelenk heraus die ganze Hand etwas zu deinem Körper hin. Für die **nachgebende Zügelhilfe** gehst du einfach mit deinen Händen in Richtung Pferdemaul vor. Ganz besonders wichtig: Die nachgebende Zügelhilfe ist in jedem Fall wichtiger als die annehmende.

Wie sanft du eine Zügelhilfe geben kannst, hängt auch von deiner Vorarbeit über Gewichts- und Atemhilfen ab. Wenn du das gut gemacht hast, wird nur eine hauchfeine Zügelhilfe nötig sein. Wieder ein Grund mehr, ganz viel Wert schon am Anfang deiner Aus-bildung auf dein Körpergefühl zu legen. Musst du die Zügel kürzer fassen, so hältst du immer den, den du nachfassen möchtest, mit der anderen Zügelhand mit fest, das geht prima mit dem Daumen und Zeigefinger. Mit der nachfassenden Hand gleitest du dann in Richtung Pferdemaul so weit vor, wie du die Zügel verkürzen willst. Solche Dinge kannst du übrigens wunderbar am aufgetrensten Holzpferd üben oder daheim mit zwei Bändern als Zügel, die an einen Stuhl gebunden werden.

Häufig wirst du statt dem Wort »Zügelhilfen« das Wort »**Parade**« hören. Das ist in der Reitersprache das Wort für Zügelhilfen, die nur in Verbindung mit Gewichts- und Schenkelhilfen gebraucht werden. Man unterschei-det halbe und ganze Paraden. Bei guter Vorarbeit durch Gewichts- und Schenkelhilfen bestehen sie nur aus einem winzigen, kaum spürbaren Eindrehen der Finger Richtung Handinneres.

Halbe Paraden gehen jeder neuer Lektion – sei es ein Tempo- oder ein Richtungswechsel – voraus, auch hier geht man möglichst gefühlvoll vor. Die halben Paraden benutzt du, um dein Pferd auf eine kommende Lektion vorzubereiten und es aufmerksamer zu machen oder

Was für ein geduldiges Pferd.

Wenn es etwas zu klären gibt, wird darüber geredet.

COOL BLEIBEN

Merk dir für den Gebrauch deiner Stimme: Immer schön cool bleiben und freundlich 'rüberbringen, was du meinst, dann versteht dich dein Pferd. Dieses Verhalten solltest du auch mal bei Zweibeinern ausprobieren, da funktioniert es ebenso!

auch, wenn du Übergänge in andere Gangarten reiten willst. Beende jedes Mal eine Parade mit einer wieder nachgebenden Zügelhilfe.

Die **ganze Parade** führt immer zum Halten und besteht aus einer Aneinanderreihung von vielen halben Paraden – so viel, wie eben dazu nötig sind.

Ganz wichtig: die Stimme

Die Stimme ist im Umgang mit Pferden ein weiteres wichtiges Hilfsmittel. Du bist es ja gewohnt, sie ständig zu gebrauchen, und entsprechend gekonnt und locker setzt du sie ein. Sie drückt all deine Gefühle aus, kann leise und liebevoll klingen, Lob oder Tadel ausdrücken, beruhigend oder aufmunternd, natürlich auch sehr bestimmend und zur Krönung auch mal richtig sauer und strafend wirken.

Menschen, die brüllen oder kreischen, überspielen damit meist nur ihre eigene Angst und Unwissenheit. Das spürt das Pferd sofort und deshalb ist die ganze Schreierei beim Reiten auch sinnlos. Die Freundschaft zwischen Mensch und Pferd fördert es bestimmt nicht. Lass dir niemals einreden, mit einem Pferd bräuchtest du nicht zu sprechen, denn sie würden ja untereinander auch nicht reden. Das stimmt gar nicht. Sie haben eine ganze Menge an Lauten, mit denen sie sich untereinander und auch mit uns Menschen verständigen können. Mitunter sind sie sogar richtig mitteilsam (siehe auch Seite 30). Ein Pferd, das sich freut, dich zu sehen, kann

brummeln oder sogar hell wiehern. Das tun sie auch untereinander zur Begrüßung. Wenn dicke Freunde voneinander getrennt werden, kann der verbleibende Kamerad herzzerreißend und ohrenbetäubend laut immer wieder schmetternd wiehern. Wenn ein Fohlen auf der Koppel mal zu weit von der Mutter weg gerät, dann muckert und brummelt es ganz aufgeregt, bis sie antwortet und beide sich wieder gefunden haben. Bei Schmerzen kann ein Pferd stöhnen und im Tiefschlaf richtig laut schnarchen oder brummen. Ist es entspannt und locker beim Reiten, dann prustet und schnaubt es. Wie du also sehen (oder besser gesagt hören) kannst, sind Pferde recht gesprächige Gesellen.

Deine Stimme ist natürlich vor allem ein supergutes Mittel, um ein aufgeregtes Pferd wieder zu beruhigen. Wenn ein Pferd sich vor etwas fürchtet, kann es förmlich zur Salzsäule erstarren. Du merkst das am Versteinern seiner Muskulatur. Aus dieser Stimmung musst du es dann herausbringen, denn die Explosion kann sehr unangenehm sein.

Wenn es also vor etwas erschrickt und erstarrt, dann zerre es nicht einfach weiter, sondern sag ihm mit gelassener, ruhiger Stimme: »Hör mal, mein Guter, da ist nichts. Und dir passiert ganz sicher nichts.« Das Pferd kann an deiner Stimme deutlich merken, dass du ganz gelassen bist und keine Angst hast. Es wird sich nun auch wieder entspannen, was du am Lockern seiner Muskeln spüren kannst und daran, dass es den Kopf wieder mehr senkt, also auch im Halsbereich dehnt und entspannt.

TIPP Grundsätzlich darfst du deine Stimme immer einsetzen, bis auf kleine Ausnahmen: In Dressurprüfungen darfst du nicht sprechen, und wenn, dann nur ganz leise und heimlich, damit es der Richter nicht merkt. Aber bis dahin hast du ja noch eine ganze Weile Zeit.

Zum Beruhigen des Pferdes solltest du immer eine dunkle, lang gezogene Stimmlage wählen. Zum Aufmuntern und zur Erregung seiner Aufmerksamkeit immer helle, kurze und knapp gesprochene Laute. Um ihm zu sagen, dass es die Faxen jetzt lassen soll und dass es dir ernst mit deinem Vorhaben ist, reichen meist scharf und warnend etwas lauter ausgesprochene Wörter aus. Achte bei deinem Stimmeinsatz wieder einmal auf eine freie und regelmäßige Atmung. Denn wenn dir der Atem stockt, bringst du kein anständiges Wort mehr heraus.

Übrigens, wenn du für bestimmte Übungen ein Wort wählst, dann solltest du es immer beibehalten, also nicht einmal »Stopp« und einmal »Halt« sagen. Du willst deinem Pferd doch nicht zumuten, auch noch verschiedene Dialekte lernen zu müssen.

Die Gerte – das Taktstöckchen

Du weißt nun, dass es dein großes Ziel ist, die Hilfengebung so fein wie möglich zu gestalten. Dass du mit deinem Pferd zwar konsequent, aber doch auch freundlich und fair umgehen musst, hast du auch verstanden. Wozu dient dann eigentlich eine Gerte oder Peitsche? Oh, da gibt es eine ganze Menge Einsatzgebiete und keines davon hat mit zornigem Strafen und Verhauen

Cool bleiben Darija, da kommt nur ein Jogger.

des Pferdes zu tun. Die Gerte ist gewissermaßen ein Taktstöckchen, das in einem Orchester ja auch nur zum Dirigieren und harmonischeren Klang eingesetzt wird.

Bei der Bodenarbeit wird die Gerte wie ein verlängerter Arm eingesetzt, um aus verschiedenen Führpositionen heraus gezielt dem Pferd bestimmte Signale vermitteln zu können. Ein Beispiel: Du führst ein frecheres Pferd auf der Reitbahn und es drängelt immer näher zu dir herüber. Es mit Körperkraft wegzudrücken, brauchst du gar nicht erst versuchen – da ziehst du eindeutig den Kürzeren. Halte die Gerte wie einen Degen, aber nach unten gesenkt, in der linken Hand, mit der rechten Hand führst du das Pferd. Drängelt es zu dir, hebst du die Gertenhand bis auf seine Augenhöhe an und hältst sie ruhig in dieser Position oder schwingst sie ein klein wenig auf und ab. Es wird den Kopf wieder nach vorn richten und in ordentlichem Abstand weiterlaufen. Sobald dein Pferd

VERTRAUENSSACHE

Wer sein Pferd mit Gerte oder Sporen zornig straft, ist ein sehr dummer Reiter. Denn so gewinnt er nie das Vertrauen seines Teamgefährten.

reagiert hat und brav geradeaus läuft, musst du die Gertenhand wieder senken, damit es verstehen kann, dass es richtig reagiert hat.

Bei der Jungpferdeausbildung ist die Gerte sehr gut geeignet, um den Pferden bestimmte Hilfen deutlicher zu machen. Drängelt ein Jungpferd unter dem Reiter in die Zirkelmitte, kann er als unterstützende Hilfe zu Schenkel, Zügel und Gewicht auch mal die Gerte innen an die Schulter des Pferdes legen. Oder wenn das junge Pferd

Die Gerte wird in der inneren, zur Bahnmitte zeigenden Hand gehalten.

nicht gleich auf die Schenkelhilfe zum Antraben reagiert, kann er mit einem kleinen konsequenten Klaps dort, wo der Schenkel treibt, dem Pferd deutlich machen: »He, du, schon wenn der leiseste Hauch meiner Wade zu spüren ist, geht's ums Antraben.« Beim nächsten Mal wird das Jungpferd gerade dies tun.

Hier dient die Gerte zum besseren Verständnis und zur Hilfenverfeinerung, denn permanent mit den Schenkeln zu klopfen und zu bohren verdirbt nicht nur dir den ordentlichen Sitz, sondern auch deinem Pferd die gute Laune.

Reitanfänger, die noch nicht sicher und exakt am dafür vorgesehenen Platz den Schenkel benutzen können, dürfen hier durchaus einmal, z. B beim Angaloppieren, als Hilfe einen kleinen Klaps der Gerte auf die innere Pferdeschulter geben. Auch dieser Einsatz dient dazu, dass das Schulpferd nicht durch dauernden, noch nicht ganz exakten Schenkelgebrauch abstumpft. Bockende Pferde, die dies gern auch mal auf der Stelle tun – und in diesem Fall wie ein Schleudersitz wirken können –, kann der kurze Klaps mit der Gerte wieder auf den Teppich holen. Oder besser gesagt wieder in die Vorwärtsbewegung bringen. Auf diese Weise kannst du oben bleiben, denn ein Pferd in Vorwärtsbewegung kann nicht mehr seine ganze Rückenmuskulatur zum »Abschießen« einsetzen.

Beim Halsringreiten wird die Gerte zum sichtbaren Zeichen der Richtung und durch Anlegen an Hals und Schulter des Pferdes auch richtungsweisend am Körper benutzt. Eines aber darfst du nie, in keiner Situation, tun: sie zum zornigen Schlagen deines Partners verwenden. Dann höre lieber gleich auf mit diesem schönen Hobby, denn Pferde sind Lebewesen, die Schmerz und Angst empfinden wie du, und sie sind nicht auf der Welt, um von den Menschen als Sportgerät ausgenutzt zu werden.

Sporen?!

Für dich als Reitanfänger sind Sporen tabu! Der Gebrauch von Sporen sollte nur wirklich sehr guten Reitern vorbehalten bleiben, die ehrlich und fair abschätzen können, wie sie diese einsetzen. Du musst jetzt erst einmal lernen, deine Beine und Füße ruhig zu halten. Der nächste Schritt ist der gezielte Einsatz deiner Schenkel für die entsprechenden Hilfen, um dich mit dem Pferd verständigen zu können. Später, wenn du genau über die Psyche, den Körper und den Bewegungsablauf deines Pferdes Bescheid weißt, wenn du vom Sitz her in der Lage bist, deine Schenkelhilfen ganz gezielt und fein dosiert anzuwenden, und wenn deine Liebe zum Pferd größer ist als dein sportlicher Ehrgeiz, dann können wir noch mal über das Thema Sporen reden.

Sporen, Gerte oder andere Hilfsmittel sind **niemals,** zu keiner Zeit, dazu gedacht, dem Pferd Schmerzen zuzufügen! Sie sollen lediglich zur Verfeinerung der Reiterhilfen beitragen und dazu dienen, die Empfindsamkeit und Reaktion des Pferdes auf diese Hilfengebung zu steigern.

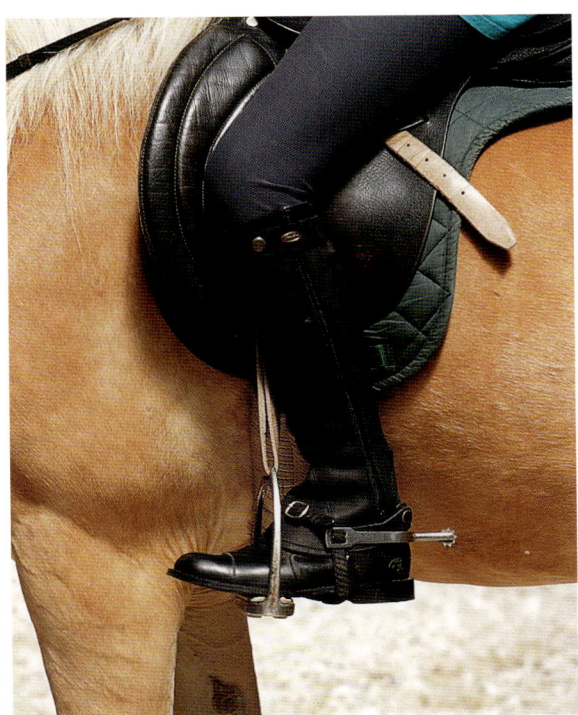

Sporen dürfen niemals im Zorn benutzt werden!

Reiten in der Reitbahn

Vielleicht fragst du dich: »Warum soll ich in der Reitbahn im Kringel herumreiten, wenn es draußen im Gelände doch so schön ist?« Nun, die Frage ist recht einfach beantwortet: »Damit du von zukünftigen Ritten im Gelände auch heil wieder nach Hause kommst!« In der Reitbahn, auch Dressurviereck genannt, lernst du jetzt erst einmal, die unterschiedlichen Hilfen einzeln und kombiniert anzuwenden. In der Dressurausbildung lernt dein Pferd, dich und deine Hilfen zu verstehen und auf sie zu horchen, und du lernst, mit immer weniger Aufwand deinem Pferd etwas begreiflich zu machen. Würdest du gleich jetzt mit deinem Pferd ins Gelände reiten, wärst

du bei bestimmten Situationen überfordert und wüsstest gar nicht, wie du sie bewältigen kannst. Deshalb solltest du immer erst das Dressurreiten in der Bahn lernen, bevor es ins Gelände geht. Damit die Zeit bis dahin aber nicht zu lang wird, kannst du dich auf Handpferderitte oder geführte Spaziergänge freuen.

Im Übrigen kann auch Dressurreiten sehr spannend sein. Es findet auf dem Reitplatz statt, der wie ein längliches Rechteck geformt ist. Die Pferde bewegen sich dort auf dem Hufschlag, das ist die Linie, auf der beim Abteilungsreiten viele Pferdehufe richtige Spurrillen

Uff, gar nicht so leicht, den richtigen Abstand zum Vordermann zu halten.

TIPP
Rücksicht ist beim Reiten nicht nur zwischen Pferd und Reiter, sondern auch zwischen den Paaren untereinander gefragt. Denke bitte immer daran, wenn du mit deinem Pferd auf andere Reiter triffst.

hinterlassen. Er verläuft auf der ganzen Bahn entlang des Zauns oder in einer Reithalle entlang der Bande, der Umgrenzung. Neben diesem ersten Hufschlag wirst du es auch mit zweiten und dritten Hufschlägen zu tun bekommen, diese befinden sich jeweils etwa eine Pferdebreite weiter innen in Richtung Bahnmitte. Sie sind jeweils so breit, dass Reiter, die in unterschiedlichem Tempo und in unterschiedlicher Richtung unterwegs sind, problemlos und ohne Berührung aneinander vorbeireiten können.

Die Bahnregeln

Fairness allen Mitreitern und Pferden gegenüber sollte immer an erster Stelle stehen. Damit es nicht zu Zusammenstößen kommt, wenn zum Beispiel alle Reiter in flottem Galopp unterwegs sind, gibt es feste Bahnregeln, also Verkehrsregeln für den Reitplatz:

- Wenn du den Reitplatz oder die Reithalle betreten oder verlassen willst, rufst du »Tür frei« und wartest ab, bis dir jemand mit »Tür ist frei« antwortet.
- Möchtest du bei der Tribüne einen Pullover oder eine Gerte loswerden, rufst du »Tribüne frei« und wartest, bis dir geantwortet wird. Auf der Reitbahn heißt es: »Hufschlag frei bei ...«,
- Wer Schritt reitet, muss den ersten Hufschlag frei halten.
- Du als »Galopper« musst einen »Traber« innen überholen.
- Gerade Linien haben Vorfahrt vor gebogenen Linien.
- Wer linksherum reitet, hat Vorfahrt. »Linke Hände begegnen sich.«

- Reite vorausschauend und mit wachen Augen.
- Im Zweifelsfall nicht auf dein Recht pochen, sondern immer ausweichen, bevor es einen Unfall gibt.
- Nie zu eng an entgegenkommenden Reitern vorbeireiten, das könnte euch beide die Kniescheiben oder verdrehte Fußgelenke kosten.

Wo ist innen? Wo ist außen?

Immer wieder wird bei den Anweisungen in der Reitbahn von innen und außen die Rede sein; der innere Schenkel ist beispielsweise gefragt oder der äußere Zügel. In den meisten Fällen ist diese Frage ganz einfach

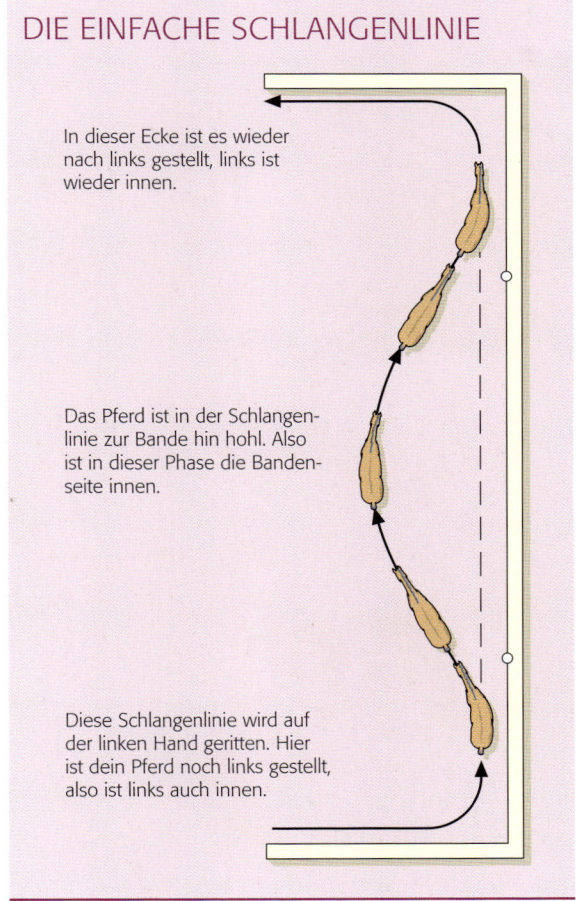

DIE EINFACHE SCHLANGENLINIE

In dieser Ecke ist es wieder nach links gestellt, links ist wieder innen.

Das Pferd ist in der Schlangenlinie zur Bande hin hohl. Also ist in dieser Phase die Bandenseite innen.

Diese Schlangenlinie wird auf der linken Hand geritten. Hier ist dein Pferd noch links gestellt, also ist links auch innen.

zu beantworten: »Innen« ist da, wo die Bahnmitte ist, »außen« da, wo Zaun oder Bande steht.

Es gibt aber Situationen, wo diese Regel nicht mehr gilt: Bei einer einfachen Schlangenlinie an der langen Seite zum Beispiel (siehe Grafik einfache Schlangenlinie auf Seite 105) ist für die Dauer der Biegung dein Pferd (in diesem Fall) nach rechts zur Bahnaußenseite hin gestellt. Schau mal auf die Grafik und du verstehst, was gemeint ist.

Die Stellung

Jetzt kommen wir zu einer anderen Regel: Innen ist immer da, wo die hohle Seite des Pferdes ist. Und welches die hohle Seite ist, das kannst du durch die Stellung deines Pferdes beeinflussen.

Womit wir bei einem weiteren wichtigen Punkt wären: Wie sieht die Stellung eines Pferdes aus? Mehr oder weniger ist das eine Drehbewegung im Genick des Pferdes – so, als ob du ein klein wenig nach links oder rechts schaust.

Wenn du auf dem Reitplatz rechtsherum reitest, ist dein Pferd in den Ecken, wo es eine kleine Kurve gibt, oder auch auf den Zirkellinien nach innen gestellt. An den geraden Linien, den langen und kurzen Seiten, sollte es geradeaus gestellt sein. Später, bei weiterführenden Dressurlektionen, kann sich das dann auch mal ändern.

Theresa dreht sich gut mit in der Voltenbiegung.

Wenn du noch nicht genau spürst, wie weit denn diese Stellung gehen soll, kannst du dir als Faustregel merken: Du musst das innere Auge und die innere Nüster des Pferdekopfes sehen können. Aber so etwas übst du ja am Anfang nicht allein. Dein Reitlehrer wird es dir genau erklären und dir jeweils sagen: »So, jetzt ist es gut« oder »Hier musst du dein Pferd deutlicher nach innen stellen«. Durch die Rückmeldungen des Ausbilders bekommst du dann auch schnell ein Gespür dafür, ob's stimmt. Und wenn dein Reitlehrer merkt, dass du mit innen und außen Probleme hast, wird er auch mal links oder rechts sagen.

Die Stellung gibst du mit dem inneren Zügel, der äußere Zügel hält sie. Den inneren Zügel aber nicht zurückziehen, sondern sanft etwas zur Seite nehmen. Das heißt für dich, du darfst den äußeren Zügel nicht durchhängen lassen, sonst dreht sich der Pferdekopf zu weit nach innen. Aber Vorsicht, hier ist wieder sehr viel Gefühl gefragt. Halte nicht starr am äußeren Zügel gegen, sonst lässt du die Stellung des Genicks ja gar nicht zu. Folge ganz fein der Genickbewegung und bemühe dich dabei, dein Pferd an beiden Zügeln mit gleichmäßiger, feiner Verbindung zum Maul zu führen. Das ist ein bisschen so wie beim Fahrradfahren. Wenn du linksherum fährst, muss das rechte Lenkerende ja auch mit vorgehen, sonst kriegst du die Kurve nicht. Deine äußeren Hilfen, ob nun mit dem Zügel oder mit dem Schenkel, kontrollieren auch das Tempo. Wenn dein Pferd also mal zu schnell wird, gibst du am äußeren Zügel kleine Paraden, um es wieder zurückzunehmen.

TIPP

Mal doch mal auf einer Spielstraße mit Kreide ein großes Rechteck auf und übe die verschiedenen Hufschlagfiguren mit dem Fahrrad. Ganz nebenbei merkst du dabei, wie man in Wendungen außen mitgeht. Denn wenn du nach links in eine Biegung fährst, musst du dieser auch rechts folgen. Auf dem Pferd ist das nicht anders.

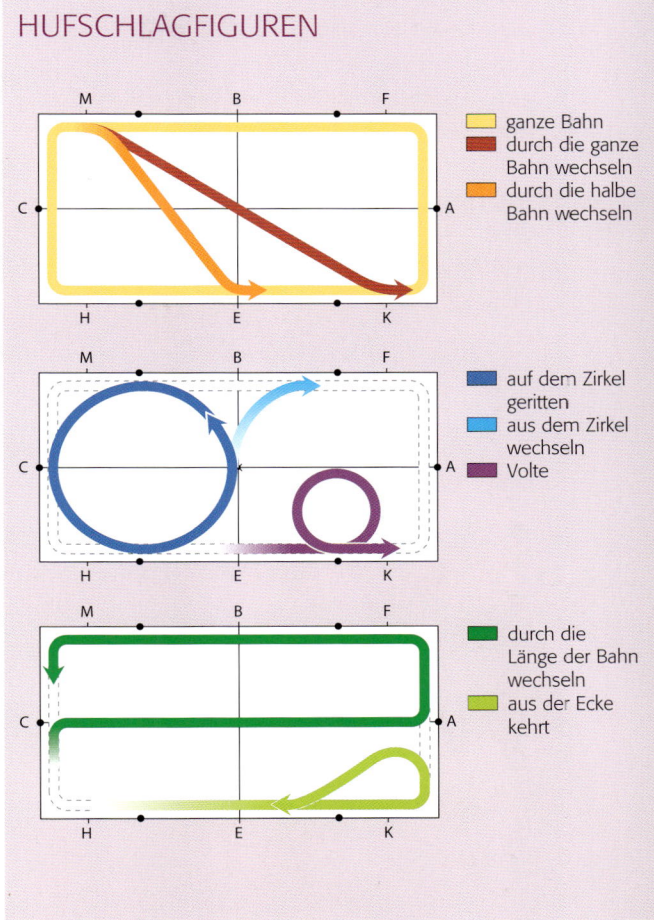

HUFSCHLAGFIGUREN

- ▭ ganze Bahn
- ▬ durch die ganze Bahn wechseln
- ▬ durch die halbe Bahn wechseln

- ▬ auf dem Zirkel geritten
- ▬ aus dem Zirkel wechseln
- ▬ Volte

- ▬ durch die Länge der Bahn wechseln
- ▬ aus der Ecke kehrt

Die Hufschlagfiguren

Damit es kein zu großes Durcheinander gibt, um die Pferde ausreichend zu gymnastizieren und auch um kontrollieren zu können, ob du dein Pferd exakt steuern kannst, gibt es die Hufschlagfiguren. Sie beginnen und enden immer an bestimmten Bahnpunkten, die auf Schildern gemalt an der Wand, der Bande oder am Zaun befestigt sind. Wenn du später mal Dressurturniere reiten willst, musst du dir diese Punkte gut einprägen. Es gibt eine Menge Eselsbrücken, mit denen sich die Reihenfolge gut im Gedächtnis speichern lässt. Bilde dir doch selbst einen Satz aus den Anfangsbuchstaben, das ist Gehirnjogging und du beschäftigst dich dadurch ausgiebiger mit den Buchstaben – mein Lieblingssatz lautet folgendermaßen: **C**harly, **m**ein **B**ock, **f**risst **a**lles: **K**arotten, **E**instreu, **H**afer.

Theresa und Dimika sind ganz konzentriert unterwegs.

Anhand der bunten Grafik kannst du erkennen, wie die einzelnen Hufschlagfiguren aussehen, wo sie starten und enden und wie die Kommandos dazu lauten.

Wenn du in der Reitschule in einer Abteilung reitest, gibt es noch ein paar extra Kommandos. Sagt der Reitlehrer zum Beispiel: »Wir bilden jetzt eine Abteilung auf der rechten Hand. Der Django ist vorn und dahinter kommen…!«, dann muss der erste Reiter auf Django laut und deutlich für alle anderen Mitreiter »Anfang hier« rufen. Vielleicht sind Reiter dabei, die noch nicht alle Pferde und Reiter kennen. So wissen sie nun, hinter wem sie sich anschließen müssen. Innerhalb der Abteilung solltest du eine gute Pferdelänge Abstand zum Vorderpferd haben. Das ist wichtig, um Gefahren durch Schläge zu vermeiden, um dem Vorderpferd nicht in die Beine zu treten und auch, um verschiedene Figuren in der Gruppe ordentlich ausführen zu können. Es gibt da so eine Faustregel, die aber ganz gut funktioniert: Wenn du zwischen den Ohren deines Pferdes hindurch die Hinterhufe deines Vorderpferdes siehst, dann ist der Abstand o. k.

Die Abteilung folgt immer dem Anfangsreiter, ihn nennt man in der Reitersprache auch oft »Têten-Reiter«, er reitet nämlich an der »Tête«, das heißt auf Französisch »Kopf«. Wenn du vom Reitlehrer demnächst deinen Namen hörst und die Aufforderung »… reite doch bitte an der Tête«, dann kannst du ganz schön stolz auf dich sein. Ein Têten-Reiter bestimmt nämlich die Richtung für alle nachfolgendenden Pferde. Er muss mit einem Auge auch darauf achten, dass seine Hinterleute nachkommen, und immer ein bisschen für die anderen mitdenken. Er muss besonders gut aufpassen, welche Anweisungen der Reitlehrer gibt, um die Hufschlagfiguren exakt zu reiten, und gleichzeitig ein gleichmäßiges Tempo halten – ein echter Boss-Job. Natürlich ist es toll, Verantwortung übernehmen zu dürfen, und das kann manchmal ganz schön anstrengend sein. Aber die Mühe lohnt sich, denn dann bist du auf dem besten Weg, ein richtig guter Reiter zu werden.

Gruppenstunde in der Bahn

Wenn du es schaffst, dass deine Reiterhilfen richtig zusammenwirken, kannst du nun sogar schon einfache Lektionen – »Übungen« – reiten. Lass dich nicht entmutigen, wenn's nicht sofort klappt. Die richtige Abstimmung der Hilfen ist ganz schön schwierig.

Wir versuchen eine Volte

Du weißt nun schon, welche Hilfen du für eine ordentlich gerittene **Volte** geben musst. Als Anhaltspunkt: Die Volte hat einen Durchmesser von 10 Metern, wenn du sie an der langen Seite machst, erreichst du dabei normalerweise die Bahnmitte. Um eine Volte korrekt auszuführen, muss der Pferdekörper gebogen sein. Diese Biegung – ein weiterer Ausdruck, den du dir merken solltest – geht weit über die Stellung hinaus. Jetzt ist nicht mehr nur das Genick betroffen, sondern das ganze Pferd. Der Sinn und Zweck der Übung besteht darin, dass die Hinterbeine genau in der Spur der Vorderbeine laufen, um das Gewicht nicht einseitig zu verteilen. Und warum soll das so sein? Um der Einseitigkeit des Pferdes (siehe Seite 117) entgegenzuwirken.

Für eine korrekte Volte musst du

- den inneren Gesäßknochen stärker belasten (reitest du linksherum, also den linken).
- der Kreislinie mit den Augen folgen, damit sich auch deine Schultern mitdrehen.

ZUM NACHDENKEN

Falls du mal in Versuchung kommst, zornig und grob mit deinem Pferd zu werden, denk an meine Worte: Du hättest auch als Pferd das Licht der Welt erblicken können!

- mit dem linken Bein die Biegung fordern und vorwärtstreiben, dabei aber darauf achten, dein Knie nicht hochzuziehen.
- Das äußere Bein verhindert das Ausscheren der Hinterhand und liegt etwas hinter dem Gurt.
- Der innere Zügel stellt das Pferd, und zwar immer wieder und nicht durchgehend.
- Der äußere Zügel hält feine, elastische und gleichmäßige Verbindung mit dem Pferdemaul. Er begrenzt den Kreis.
- Wenn dein Pferd wieder auf dem Hufschlag ankommt, sitzt du auch wieder völlig gerade und richtest es geradeaus.

Wegreiten von der Abteilung

Eine gute Übung zur Tempokontrolle besteht darin, ein **anderes Tempo** als die übrige Abteilung zu reiten. Pferde »kleben« nämlich sehr gern an ihren Kollegen. Sie möchten in deren Nähe sein, und wenn du von der Schritt gehenden Abteilung wegtrabst, kann es sein, dass dein Pferd wenig begeistert reagiert.

Beim Wegreiten von der Gruppe musst du es wahrscheinlich erst einmal energisch vorwärtstreiben und an der nächsten langen Seite, wenn es seine Kollegen erspäht hat und denen gerne schnell hinterherrennen würde, um aufzuschließen, wieder bremsen. Das ist eine echte Herausforderung für dich, alle erlernten Hilfen jetzt mal in Kombination auszuprobieren. Nur, wenn du es richtig machst, wird sich dein Pferd unter dir vom Wegreiten an der Tête bis zum Anschließen an das Abteilungsende in einem gleichmäßigen Takt bewegen. Erinnere dich an die entspannenden Fühlübungen und an deine Atmung. Behalte beim Leichttraben deinen ganz regelmäßigen Trab- und Atemrhythmus bei. Führe dein Pferd sicher und ruhig an gleichmäßiger, elastischer Zügelverbindung. Deine Unterschenkel rahmen das

Pferd durch feines und ruhiges Anliegen am Bauch ein. Dein Blick ist locker nach vorn-oben gerichtet und du bist dir innerlich ganz sicher, dass du auf dem ersten Hufschlag vom Wegreiten bis zum Ankommen ein gleichmäßiges Tempo reiten kannst. Kompromissvorschläge deines Pferdes in Form von »Au bitte, lass mich nur schnell zu meinem Boxennachbarn flitzen« lässt du nicht zu! So eingestimmt, mit der korrekten Ausführung deiner Hilfengebung und deiner freundlichen, aber bestimmten Ausstrahlung, die nichts anderes zulässt, wird dein Pferd tadellos laufen.

Rennt dein Pferd mal davon, dann ziehe nicht permanent am Zügel. Es würde sich nur mit seinem Gewicht darauf legen und dann kannst du nichts mehr ausrichten. Ein Pferd hat so viel Kraft im Hals, da hilft Ziehen nicht. Besser ist es, wenn du versuchst, viele kleine halbe Paraden zu geben. Hilft auch das nichts, dann biegst du seinen Kopf mit einem Zügel zur Seite (aber nicht zurückziehen!), damit bringst du es aus dem Gleichgewicht, und um sich zu fangen, muss es langsamer werden. Manchmal ist Reiten ein richtiger Denksport, nicht wahr?!

Der erste Galopp

Dein Reitlehrer spricht dich an und fragt: »Na, sollen wir jetzt mal den **ersten Galopp** versuchen?« Au ja, aber jetzt bist du bestimmt ein bisschen aufgeregt. An der Longe und beim Voltigieren hast du ja schon ein erstes Galoppgefühl bekommen, und das war schön. Jetzt ist es lediglich anders, weil du selbst dein Pferd steuern musst und es auch selbst in den Galopp bringen sollst. Das geschieht jetzt aus dem Trab.

Dein Pferd muss nun sehr gut aufpassen, denn es muss ja deine Hilfensprache, die noch nicht wirklich exakt ist und die es etwas anders kennt, verstehen können. Achte darauf, dass es sich auf dich konzentriert. Da kannst du an den Pferdeohren erkennen: Wenn sie zu dir nach hinten gewandt sind, achtet es genau darauf, was du

»In der nächsten Ecke mal von der Gruppe wegtraben, Friederike!«

vorhast. Hast du noch nicht seine ganze Aufmerksamkeit, dann versuch es mit einer halben Parade.

Nutze eine Ecke oder die Zirkellinie für den ersten Galopp. Dann ist dein Pferd schon mal schön nach innen gestellt und weiß schon, in welchem Galopp es anspringen soll. Aus den Erklärungen zur Galopp-Fußfolge weißt du, dass es auch den Außengalopp gibt, aber der ist erst später gefragt.

Nehmen wir mal an, du reitest auf der rechten Hand (Fachwort für rechtsherum reiten), dann ist dein Pferd also leicht nach rechts gestellt. Dein rechtes inneres Bein liegt am Gurt und gibt den eigentlichen Impuls – Druck der Wade – zum Angaloppieren. Der linke äußere Schenkel liegt etwa eine Handbreit hinter dem Gurt und verhindert das Ausscheren der Hinterhand nach links. Dieses linke Hinterbein ist beim Galopp für das Pferd sehr wichtig. In der Fußfolgengrafik (S. 40) kannst du deutlich sehen, dass es eine Ein-Bein-Stütze ist,

und die funktioniert nur gut, wenn sie schön gerade nach vorn tritt. Deine innere Pobacke ist mehr belastet, aber du knickst nicht in der Hüfte ein. Das kannst du am besten verhindern, indem du dich bemühst, den rechten Steigbügel richtig gut durchzutreten. Im Moment des Angaloppierens musst du weich am inneren Zügel den Galoppsprung herauslassen, also ein bisschen nachgeben in Richtung Pferdemaul. Denke auch jetzt wieder an eine freie und regelmäßige Atmung und ziehe den Bauch nicht ein, sondern strecke ihn heraus. Wenn du es schaffst, ganz weich in der Pferdebewegung mitzugehen, wirst du gar nicht mehr aufhören wollen zu galoppieren, so schön ist das.

Varianten

Heute wird es ziemlich bunt in der Reitbahn. Dort steht eine Tönnchenreihe, ein schmaler Gang aus hochgelegten bunten Stangen, und auf dem Boden ist ein Zickzack mit Springstangen aufgebaut. Vermutlich denkst

Beim Formationsreiten kann man üben, die Pferde in verschiedene Richtungen zu reiten.

du jetzt: Auweh, die werden mich doch jetzt wohl noch nicht über die Sprünge jagen?! Keine Bange, steht alles nur da, um darum herumzureiten. Und natürlich kann man so einen Geschicklichkeitsparcours auch auf einer Wiese, die zum Stall gehört, aufbauen oder einfach den Springplatz benutzen. So werden die anderen Reiter auf der Bahn dann nicht gestört.

Für dich als Anfänger ist es viel einfacher, beispielsweise das korrekte Reiten einer Volte zu lernen, wenn diese um ein sichtbares Hindernis ausgeführt wird. Du musst dabei ja einen ganz runden Kreis, der auch noch einen ganz bestimmten Radius haben muss, reiten. Das kann eine ziemlich schwierige Aufgabe sein, wenn du aber um eine deutlich sichtbare Tonne unterwegs bist, kannst du selbst sehr gut erkennen, ob es ein Kreis oder ein Osterei wird. Das Pferd versteht deine Hilfen auch besser, wenn es sieht, dass es um eine Tonne laufen soll.

Im Tonnenslalom kannst du wunderbar Gewichtsverlagerung, Schenkeleinsatz und Zügelhilfen üben. Dein Reaktionsvermögen wird ebenfalls geschult, denn auch wenn du nur im Schritt mit deinem Pferd unterwegs bist, musst du doch bei jeder Tonne, also jeder Wendung, aufpassen und reagieren, d. h. dein Pferd umstellen und selbst umsitzen. Beim Durchreiten der Stangengasse lernst du kerzengerade und völlig gleichmäßig belastend auf beiden Pobacken zu sitzen. Beide Schenkel und beide Zügel haben eine feine gleichmäßige Verbindung zum Pferd. Wenn du auf den Eingang zureitest, wird sich zeigen, ob du es richtig machst. Wenn du schief sitzt oder ungleichmäßige Verbindung über Zügel und Schenkel hältst, wird dein Pferd sicher nicht ins Nadelöhr einfädeln, sondern vorbeilaufen.

Der Zickzackkurs am Boden ist eine tolle Übung, um die ersten gezielten Biegungen gemeinsam mit deinem

Ronja und Garuda im flotten Galopp entgegen der Abteilung.

Pferd zu erarbeiten, und du lernst spielerisch, dich auf und mit deinem Pferd gezielt zu bewegen. Doch trotz allem Spiel und Spaß: Ein bisschen Konzentration muss schon sein beim Lernen. Auf jeden Fall aber sollte es dir Freude bereiten, sonst stimmt was nicht!

Viele dieser Hindernisübungen bereiten dich auch schon auf Ritte im Gelände vor. Denn da ist es oft sehr wichtig, zum Beispiel zielgenau über eine schmale Brücke zu reiten oder geschickt mehreren aufeinanderfolgenden Hindernissen ausweichen zu können. Hindernisparcours-Übungen fördern also

■ deine Sicherheit auf dem Pferd,
■ dein Verständnis für manche Anweisungen des Ausbilders,
■ den Spaß an den ersten noch »langsamen« Reitstunden im Schritt.

Slalom um Tönnchen.

Super, Julia, schnurgerade durchgeritten!

Ronja steuert Garuda schön locker durchs Stangenzickzack.

Die Anatomie des Pferdes

Sieh dir mal genau die Grafik an, auf der eure beiden Körper verglichen werden, die ist höchst interessant. Durch sie bekommst du einen Eindruck, was beim Pferd wo ist, und vielleicht auch schon eine leise Ahnung davon, was für eine Wirkung es aufs Pferd hat, wenn du auf seinem Rücken sitzt. Und wenn du schon ein paar Grundkenntnisse hast, kannst du mancher Erklärung deines Reitlehrers vielleicht auch besser folgen.

Woher kommen unsere Pferde?

Bereits vor rund 60 Millionen Jahren lebten die ersten Vorfahren unserer heutigen Pferde. Natürlich sahen die damals völlig anders aus. Durch die Klima- und Landschaftsveränderungen auf der Erde hat sich das Pferd erst zu dem Tier entwickelt, mit dem du heute so viel Freude erleben kannst. Die verschiedenen Pferdetypen gibt es, weil die Eignung für einen bestimmten Verwendungszweck durch gezielte Zucht beeinflusst wurde. Man unterteilt heute in Vollblüter, Warmblüter und Kaltblüter:

■ Vollblüter sind meist sehr schlanke und langbeinige, ausdauernde Pferde, die zu Rennen eingesetzt werden.
■ Der am häufigsten vorkommende Typ ist wohl das Warmblut, ein speziell fürs Reiten gezüchtetes Pferd. Es soll recht groß und stabil, aber trotzdem schick sein. Auch viele Ponyrassen gehören zu den Warmblütern.
■ Das Kaltblut galt als schweres Arbeitspferd, heutzutage ist es als treuer Freizeitkumpel wiederentdeckt worden. Es gibt noch eine Menge Mischungen der

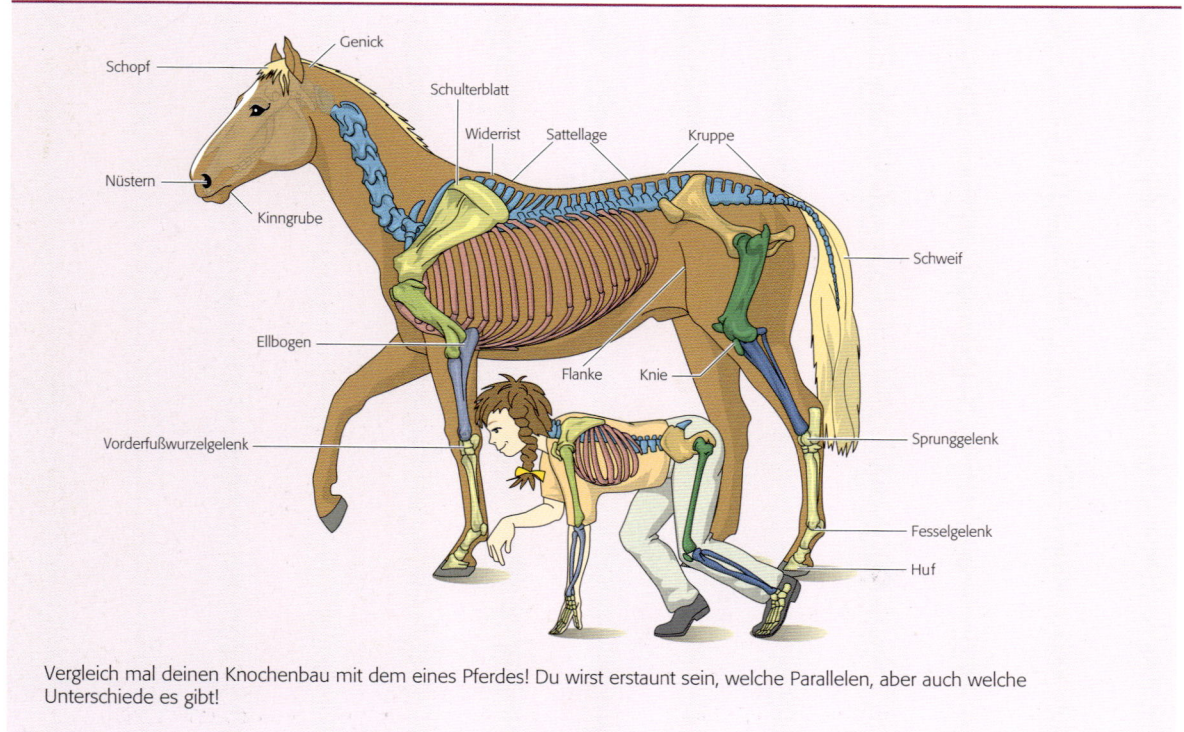

Vergleich mal deinen Knochenbau mit dem eines Pferdes! Du wirst erstaunt sein, welche Parallelen, aber auch welche Unterschiede es gibt!

verschiedenen Pferdetypen und wenn du eine Weile bei deinem tollen Hobby bleibst, wirst du sie sicher fast alle kennenlernen.

Steckbrief Pferd

Hier noch in aller Kürze einige interessante Basics, sozusagen ins Innere des Pferdes:

- Ein durchschnittlicher Warmblüter mit einem Stockmaß (Rückenhöhe, gemessen wird am Widerrist) von 160 bis 170 Zentimetern wiegt zwischen 500 und 700 Kilogramm, in seinen Adern fließen zwischen 40 und 50 Liter Blut.
- Das Pferd hat empfindliche Haut und Haare und verfügt über ein tolles Wärmeregulierungsvermögen. Im Winter wird das Haarkleid des Pferdes dichter und länger. Im Frühjahr stößt es diese Haare wieder ab.
- Bei hohen Temperaturen oder großer körperlicher Anstrengung, aber auch bei Stress und Schmerzen schwitzen Pferde stark. Das gilt besonders für den Bereich der Flanken und des Halses.
- Die folgenden drei Werte werden PAT-Werte genannt: Puls, Atmung, Temperatur.
  - Das Pferdeherz schlägt etwa 28- bis 40-mal pro Minute,
  - seine Atmung liegt bei durchschnittlich 12 Atemzügen pro Minute
  - seine normale Körpertemperatur liegt zwischen 37,5 und 38,0 °C.

  Ein Fohlen kann auch etwas höhere Werte haben.
- Je nach Wetter, Nahrungsaufnahme oder körperlicher Belastung benötigt ein Pferd an die 40 Liter Wasser täglich.
- Sein Magen ist im Verhältnis zum Darm sehr klein und für die stundenlange Nahrungsaufnahme von kleinen Futtermengen ausgerichtet.
- Das Pferd ist ein Pflanzenfresser und hat 6 Schneide- sowie je 12 Backenzähne in Ober- und Unterkiefer. Die Backenzähne zermahlen die Nahrung gründlich. Etwa ab dem 5. Lebensjahr ist der Zahnwechsel abgeschlossen. Allerdings wachsen Pferdezähne ein Leben lang.

So sitzt du richtig

Fast zwei Drittel seines Körpergewichtes trägt das Pferd mit der Vorhand. Das kannst du gut anhand der Anatomie-Grafik erkennen. Kopf, Hals, das große Schulterblatt, der Brustkorb, das alles gehört zur Vorhand. Die Hinterhand benutzt es in erster Linie, um richtig Gas geben zu können. Fachlich ausgedrückt heißt das »Schub entwickeln«. Auch diese ungleiche Gewichtsverteilung – und dann noch mit einem Reiter im Kreuz – ist ein Grund, sich intensiv mit dem Reitenlernen zu beschäftigen. Du als Reiter kannst nämlich die Gewichtsverteilung positiv beeinflussen, indem du die Vorhand deines Pferdes entlasten hilfst und seine Hinterhand stärker zur Arbeit aktivierst. Wie das geht, erfährst du in den Reitstunden.

Stundenlang fressen und zwischendurch schlafen – das hört sich nach dem optimalen Tagesablauf an!

DER PFERDERÜCKEN

Der Pferderücken

Wo sitzt du auf dem Pferd? Genau – auf seinem Rücken. Also solltest du auch ein wenig Bescheid wissen über dieses komfortable Plätzchen. Dass es nämlich komfortabel bleibt – dafür bist du als Reiter zuständig.

Stell dir den Rücken eines Pferdes mal wie eine Brücke vor. Er »hängt« zwischen den »Pfeilern« Vorder- und Hinterbeine. Nun soll diese Verbindung schön elastisch sein, um dich weich sitzen zu lassen, sich aber nicht durchbiegen, denn sonst geht die »Brücke« kaputt. Du als Reiter musst nun dein Pferd so geschickt reiten, dass es wie in einer Gymnastikstunde seine Rücken- muskulatur stärken und gleichzeitig elastisch machen kann.

Einen gut bemuskelten Pferderücken erkennst du unter anderem an der tief in die beiden seitlichen Muskel- stränge eingebetteten Wirbelsäule. Sie ist nicht der höchste Punkt des Rückens, sondern liegt versenkt – fühlbar als Rille – zwischen diesen Strängen. Damit der Rückenmuskel sich nach oben aufwölbt, das Pferd dich also mit der gesamten Rücken- muskulatur und nicht nur mit der Wirbelsäule tragen kann, muss es gedehnt laufen.

Dehnung

Trägt ein Pferd beim Reiten seinen Kopf und Hals sehr hoch, so biegt sich der Rücken durch, es bekommt Rückenschmerzen und kann beim Reiten sehr unwillig – bis hin zum Bocken und Steigen – reagieren. Auf die Dauer kann es zu der

äußerst schmerzhaften Krankheit »kissing spines« kommen (siehe Seite 60). Um das zu vermeiden, lernst du, das Pferd »über den Rücken« zu reiten.

Klar, dass du das am Anfang deiner Reiterkarriere noch nicht kannst, aber du solltest jetzt schon wissen, worauf du achten musst und was es bedeu- tet, ein Pferd in Dehnungshaltung zu reiten. Und mit jeder Reitstunde, in der du besser wirst, kannst du etwas mehr zur Gesunderhaltung deines Sportpartners beitragen.

Jetzt am Anfang wird dein Reitlehrer sicher genug Ideen und Möglich- keiten haben, dir bei diesem Vorhaben zu helfen. Ein gut ge- rittenes Schulpferd hat genügend Stützmuskulatur aufgebaut, um

VORSICHT IST DIE MUTTER DES PFERDERÜCKENS!

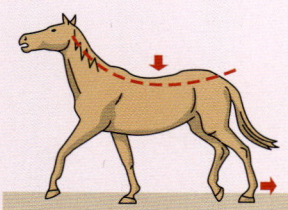

Kopf und Hals werden zu hoch getragen. Der Rücken biegt sich durch und die Hinterbeine treten nicht genug vor. Das gibt Rückenprobleme.

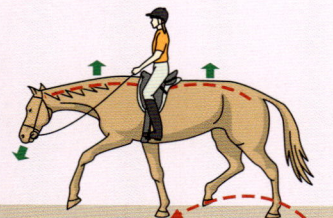

Hier ist der Rücken schön aufge- wölbt. Das Pferd dehnt sich sehr gut und die Hinterbeine treten weit vor. So kann es dich problemlos tragen.

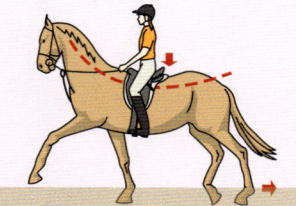

Wird ein Pferd mit grober Hand oder falsch eingesetzten Hilfszügeln in eine bestimmte Haltung gezwungen, wird der Rücken weg- gedrückt und auch die Hinterhand tritt nicht unter. So bekommt es Rückenschmerzen.

das Durchbiegen des Rückens zu verhindern, und die gilt es jetzt beim Reiten zu erhalten. Schau dir mal die drei Grafiken an, dann wird vielleicht einiges klarer.

Selbstversuch Dehnung

Probier mal Folgendes aus: Stell dich mit leicht angewinkelten Knien aufrecht hin, mach ein Hohlkreuz und nimm den Kopf weit in den Nacken zurück. Jetzt sollst du einen hinter dir liegenden Gegenstand anschauen. Spätestens, wenn dein Kinn beim Drehen deine Schulter erreicht, ist Schluss, dann tut's höllisch weh und sehen kannst du trotzdem nichts.

Jetzt mal anders: Steh nun mit rund aufgewölbtem Rücken und einer gebogenen, lang ausgestreckten Nackenpartie. Nun mach den Sichttest. Prima, du kannst jetzt die Hüften, den Oberkörper und aus dem gedehnten Nacken heraus deinen Kopf so weit drehen, dass du sogar weit über das angesteuerte Sichtziel hinausgucken kannst. Der erste Fall ist das Gefühl eines nicht über den Rücken gerittenen Pferdes.

Händigkeit/Schiefe

Dieser Begriff wird oft auch »natürliche Schiefe« genannt. Aber Händigkeit ist zutreffender, denn es geht dabei um Rechts- und Linkshändigkeit, die du ja von dir selbst kennst: Pferden geht's wie uns. Sie werden als Rechts- oder Linkshänder geboren. Das hängt mit der jeweiligen eingerollten Lage des Fohlens im Bauch der Mutterstute zusammen. Eine Seite ist immer stärker gedehnt als die andere. Die weniger gedehnte Seite nennt man auch »hohle Seite«. Mach mal deine Hand rund, als ob du Wasser schöpfen wolltest. Hier kannst du gut sehen, dass die Handaußenfläche einen viel größeren Bogen macht als die Innenhand.

Oft ist der Fall der Mähne ein Zeichen für die jeweilige Händigkeit des Pferdes. Meistens liegt sie auf der hohlen Seite. Als Reiter sollten wir uns darum bemühen, einen Ausgleich zwischen stärker und schwächer gedehnter Körperseite herbeizuführen, damit beide Körperhälften gerader werden. In der Ausbildungsskala des Pferdes nennt man diesen Punkt »Geraderichten«. So heißt es vom Sattel aus, und vom Boden aus kannst du als Anfänger sogar schon dabei mithelfen. Das Geraderichten des Pferdes ist eine lebenslange Aufgabe. Grund genug, möglichst früh damit anzufangen.

Mach alle Handgriffe und Übungen am Pferd wechselweise mal von der einen und mal von der anderen Seite. Das kann Führen sein oder Satteln, Aufsteigen oder Bodenarbeit. Denk bitte auch an das Sinnesorgan Auge, denn es macht ja auch richtig »Sinn«, dein Pferd die Abenteuer dieser Welt mit beiden Augen sehen zu lassen. Natürlich spielt auch dein gerader und ausbalancierter Sitz wieder eine große Rolle dabei, die Händigkeit deines Pferdes auszugleichen. Noch ein Grund mehr, sich darum zu bemühen. Durch das Handling an beiden Seiten des Pferdes bildet sich auch seine Muskulatur gleichmäßiger aus.

Auch dir selbst tun diese Handgriffe von beiden Seiten gut, denn auch dein Körper möchte eigentlich lieber mit der Seite hantieren, die ihm leichter fällt. Nun überzeugst du ihn aber davon, dass es auch andersherum geht, und wirst dabei immer geschickter. Ist doch prima, oder?!

Momo läuft ganz entspannt und schön gedehnt noch ein paar Runden Schritt nach der Reitstunde.

Im Gelände unterwegs

Was gibt's Schöneres, als mit zwei- und vierbeinigen Freunden in der freien Natur unterwegs zu sein? Damit alle Beteiligten – einschließlich der Natur – nicht zu Schaden kommen, solltest du einige Dinge beachten.

Ein Traum wird wahr

Lange Ausritte über blühende Wiesenwege, mit der besten Freundin den schönen Waldweg entlanggaloppieren. Das macht Spaß!

Im Gelände können aber einige unerwartete Situationen entstehen: Baumstämme liegen kreuz und quer über dem Weg, ihr habt euch verritten und nun musst du einen ziemlich steilen Berg runterreiten, der kleine Bach war irgendwie auch noch nie auf der Strecke. Aber mit all diesen Dingen kommst du gut zurecht, denn du hast solche Situationen schon auf der Reitanlage geübt. Ganz wichtig ist immer der richtige Sitz: Du musst sehr flexibel sein und genau überlegen: Beuge ich mich nun vor im Sattel oder bleibe ich sitzen.

Auch mit dem Reiten auf der Straße musst du dich auskennen. Das habt ihr ja schon bei den geführten Spaziergängen trainiert. Aber das eigene Pferd nun ganz selbstständig an einem großen Traktor vorbeizusteuern ist doch eine kleine Herausforderung, oder?

Natürlich bist du als Anfänger nie vollkommen allein im Gelände unterwegs, und alle neuen Situationen werden erst in einer ganz ruhigen Gangart, zusammen mit deinem Reitlehrer, geübt.

Respekt für andere

Sei immer ein fröhlicher und freundlicher Reiter. Vor allem, wenn du Spaziergänger, Fahrradfahrer oder andere Reiter triffst. Hab Verständnis, wenn sich jemand vor Pferden fürchtet, und pariere stets zum Schritt durch, wenn Begegnungen mit Nicht-Reitern auf dich und dein Pferd zukommen. Hier kommt dir auch die Bodenarbeit zugute. Dabei hast du ja nun gelernt, wie du die Ängste deines Pferdes vor allen möglichen und unmöglichen Schrecken der Welt in den Griff bekommst. Mit einer fröhlichen Grundstimmung klappt das noch besser.

Bewegung, Licht und Luft

Dein Pferd ist ein Lauf- und Herdentier. Es braucht ganz viel Bewegung an der frischen Luft, möglichst mit seinen Artgenossen auf der Koppel, um nach Herzenslust rennen, bocken und sich wälzen zu können.

Damit ist nicht nur dem Pferd etwas Gutes getan, sondern auch uns Reitern. Ein Pferd, das in einer tollen Reitanlage ganz viel Freiheit genießen darf, bleibt länger gesund und schmeißt so schnell auch seinen Reiter nicht runter, denn es ist zufrieden und ausgeglichen. Mach dich schlau, wie gut es Pferden gehen sollte im Leben. Sie werden es dir durch Freundschaft danken.

Technik für draußen

Im Gelände zu reiten ist wirklich toll: endloser Galopp über Wiesenwege, Sprünge über Gräben und Baumstämme, am langen Zügel der Sonne entgegenbummeln. Wunderschöne Bilder vor deinem inneren Auge, die mit etwas Übung aber Wirklichkeit werden können. Wenn du die ersten Ritte im Gelände unternimmst, musst du dich vorher ein bisschen vorbereiten, denn eine Böschung hinauf- oder hinunterreiten ist nicht ganz einfach. Auch ein Graben kann zu einem unüberwindbaren Hindernis werden, wenn du nicht weißt, was du tun musst. Und dein Pferd versteht dann erst recht nur »Bahnhof«. Außerdem wäre es ja jammerschade, wenn die ganze Gruppe wieder umdrehen muss, weil deine Angst zu groß ist oder weil du mit deinem Pferd zu

Schaden kommst. Also wird ab jetzt die Vorbereitung auf das Geländereiten im Vordergrund stehen.

Bergauf, bergab

Ein ganz wichtiger Punkt beim Geländereiten ist wieder einmal der richtige Sitz. Reitest du im Schritt auf ebenen Wegen, dann sitzt du auch völlig normal im Dressursitz, allerdings hast du im Gelände oft etwas verkürzte Bügel, damit du schnell und problemlos zwischen verschiedenen Sitzpositionen wechseln kannst. Muss dein Pferd über Baumstämme klettern, einen kleinen Graben überwinden oder einen steilen Hang hinaufkraxeln, dann reitest du im Entlastungs- oder im leichten Sitz.

Mit einem vertrauten Freund über Wiesenwege galoppieren, was gibt es Schöneres?

KLEINE PAUSE

Du weißt doch, wie weh Seitenstechen tun kann und wie schlimm das ist, wenn man kaum noch Luft kriegt. Denk dran, dass auch dein Pferd mal eine Pause braucht, auch wenn du vom Galopp nicht genug bekommen kannst.

Das hängt davon ab, wie steil der Hang ist und wie breit der Graben. Bei längeren Trabstrecken trabst du leicht, das entlastet den Pferderücken und lässt euch beide nicht so schnell ermüden. Außerdem ist es für dein Pferd auf dem unebenen Boden angenehmer, wenn du dich selbst mit ausbalancierst. Auch der Galopp sollte, da für den Pferderücken angenehmer, im leichten Sitz stattfinden. Aber aufpassen, dass du gut Balance hältst und dem Pferd nicht rhythmisch mit dem Po in den Rücken fällst.

Beim **Bergauf**- wie auch beim **Bergabreiten** neigst du deinen Oberkörper leicht nach vorn. Je nachdem, ob es ein recht flacher oder sehr steiler Hang ist, etwas weniger oder mehr. Bei flachen Hängen reicht meist der Entlastungssitz aus, um den Pferderücken zu entlasten. Dafür verlegst du dein Gewicht etwas mehr in die Steigbügel und federst es mit den Fußgelenken ab. Das klappt besser, wenn dein Fuß etwas mehr als üblich im Steigbügel vorgeschoben wird. Beim Hinaufklettern auf einen steilen Hang kann es auch schon mal nötig sein, den Pferderücken etwas mehr freizumachen. Das Pferd braucht diese Rückenfreiheit, denn es muss nun mit den Hinterbeinen und der Rückenmuskulatur euer beider Gewicht sicher ausbalanciert den Berg hinaufbefördern. Auf keinen Fall darfst du mit den Schenkeln klemmen, um dein Gleichgewicht zu halten. Dadurch wird dein Pferd unkontrolliert vorwärtsgetrieben und ihr könntet euch sogar überschlagen, wenn es den Halt verliert. Die Zügel hältst du ruhig in beiden Händen und balancierst dich seitlich am Pferdehals abgestützt aus. Achte darauf,

dem Pferd genügend Zügelfreiheit zu geben, denn es benutzt seinen Hals wie eine Balancierstange.

Wenn du bergab reitest, muss dein Pferd geradeaus gehen, um nicht das Gleichgewicht zu verlieren. Auf die Richtung kannst du durch korrekte Zügel- und Schenkelhilfen Einfluss nehmen.

Hindernisse bewältigen

Beim **Überqueren von Baumstämmen** lässt du dein Pferd am besten allein und am langen Zügel selbst entscheiden, wo der brauchbarste Weg ist und wie es seine vier Beine sortiert. Sind die Baumstämme sehr niedrig, bist du im Entlastungssitz, wird es etwas höher, gehst du in den leichten Sitz und machst den Rücken ganz frei. Achte aber immer auf spitze, herausstehende

Toll, erste kleine Sprünge im Freien.

Aststummel, an denen es sich verletzen könnte – alte Fichten, Tannen und Kiefern sind in dieser Beziehung besonders gefährlich!

Du musst immer darauf gefasst sein, dass dein Pferd plötzlich einen Satz über den Baum macht, weil es beschlossen hat: »Hoppla, das ist jetzt aber echt hoch, da spring ich mal lieber!« Hier hilft nur blitzschnell die Knie zumachen und in der Bewegung mitgehen, sonst ist die Landung ziemlich unsanft, und wenn sie auf dem Pferderücken stattfindet, sogar für euch beide.

Auch bei kleinen **Gräben** kann es sein, dass dein Pferd sich nicht ganz sicher ist, ob ein großer Schritt darüber reicht oder ob es lieber mal ein wenig mehr Schwung holen soll. Bist du darauf vorbereitet und schön im Entlastungssitz, dann erlebst du jetzt vielleicht den ersten Sprung deines Reiterlebens. Aus dieser Sitzposition

TIPP Bei den allerersten Geländeritten sollte dein Pferd mit einem Bügelriemen um den Hals ausgerüstet sein. Wenn du dann mal aus der Balance kommst, kannst du dich besser am Halsriemen festhalten als am Zügel.

heraus ist es auch viel einfacher, der Bewegung des Pferdes zu folgen. Sollte dir das mal nicht gelingen, dann gib wenigstens ganz schnell die Zügel nach vorn frei, damit es nicht auch noch einen schmerzhaften Ruck ins Maul bekommt.

Unterwegs im Straßenverkehr

Für das **Reiten auf Straßen** gilt: Du bist als Reiter mit Pferd ein ganz normaler Verkehrsteilnehmer und musst

Was für ein schönes Erlebnis: zu Pferd über blühenden Wiesen.

TIPP Lass dir und deinem Pferd Zeit zum Lernen und Kennenlernen. Trau dir was zu, aber überschätze dich nicht, denn das bekommt dir und deinem Partner nicht. Je mehr Geduld du hast, desto eher wirst du dein Ziel erreichen. Wie heißt es: In der Ruhe liegt die Kraft …

dich an die Regeln halten. (Lies zu diesem Thema noch mal auf Seite 20 und 21)

Beim Geländereiten werden dir einige Anweisungen deines Reitlehrers in den Ohren klingen und jetzt auch wirklich Sinn machen. Spätestens jetzt leuchtet dir ein, warum du alles über Schenkel-, Gewichts- und Zügeleinsatz lernen musstest. Dein Pferd muss »korrekt an den Hilfen stehen«, also deine Reitersprache verstehen,

damit ihr beide auch zusammen sicher wieder nach Hause kommt. Jetzt kann es sein, dass du ganz knapp neben einem Traktor vorbeimusst oder zielgenau über eine schmale Brücke ohne Geländer. Vielleicht musst du ganz plötzlich anhalten oder dein Pferd recht zügig über die nächste Kreuzung bringen. Solche Situationen und Gegebenheiten übst du ja in anderer Form schon vorher auf dem Reitplatz.

Auch das exakte Reiten der Hufschlagfiguren befähigt dich draußen im Gelände zu punktgenauem Reiten, was manchmal nötig ist, um Unfälle zu vermeiden. Dein Pferd sicher im Griff zu haben ist eine wichtige Voraussetzung für kommende Geländeritte. Es tut auch deiner Psyche gut, wenn du dich selbst sicher fühlst und dein Pferd jederzeit bremsen und lenken kannst. Dann wirst du auch mit schwierigen Situationen draußen besser fertig.

Vor einer Kreuzung sammeln sich die Reiter: Straßen werden immer gemeinsam überquert.

Ausreiten

Nun steht einem schönen Geländeritt nichts mehr im Wege. Allerdings, so einfach ab in die Prärie, quer über Wiesen und Äcker reiten – das darfst du nicht. Einzige Ausnahme: Der Bauer oder Besitzer hat es erlaubt! Aber da du Pferde liebst und sicher auch gern in der Natur

bist, wirst du gern mithelfen, sie zu erhalten. Viel Spaß beim Handpferdeausritt, denn der kommt als Nächstes.

Fast frei – der Handpferdeausritt

Beim allerersten Mal nimmt dein Ausbilder dein Reitpferd (mit dir drauf) als Handpferd mit. Du reitest zwar allein und selbstständig, bist aber durch eine Strickverbindung zum Reitlehrer gesichert. Sollte dein Pferd mal ein Rennen mit seinem Kollegen anfangen wollen und du kannst mit der Situation noch nicht selbstständig fertig werden, dann greift dein Ausbilder ein, der einen Handstrick in einen Trensenring oder das unter der Trense befindliche Halfter deines Pferdes geschnallt hat. So kann deines nicht abdüsen und der Reitlehrer hat seines ganz bestimmt sicher im Griff.

Bei so einem Ausflug reitet ihr nebeneinander und du musst darauf achten, den Kopf deines Pferdes in etwa auf Höhe der Schulter des Führpferdes zu halten. Da kannst du gleich ausprobieren, ob deine Hilfengebung vom Pferd auch hier draußen verstanden wird. Es muss auf deine Gewichts-, Schenkel-, Zügel- und Stimmhilfen reagieren, das ist zu euer beider Sicherheit notwendig.

So wunderbar gesichert auf dem Handpferd kannst du ja schon mal ein bisschen von dem Galopp über Wiesenwege träumen. Aber pass auf, dass dich keine Obstbaumäste aus den Träumen – oder schlimmer noch vom Pferd – reißen. Natürlich kannst du als guter Reiter später auch mal sehr entspannte **Ausritte** im Gelände machen – egal, ob du nun am langen Zügel ein Stündchen durchs Gelände bummelst oder mit einer größeren Gruppe Mitreiter einen flotten Galopp-Trainingsritt machst. Aber nun, am Anfang deiner Reiterlaufbahn, musst du dich schon noch etwas mehr konzentrieren, um all das zu lernen, was zu deiner und der Sicherheit deines tierischen Partners wichtig ist.

Sicher aufgehoben machen die ersten Ausritte Spaß.

TIPP Wenn du Spaziergängern, Fahrradfahrern oder anderen Reitern begegnest, dann grüße sie bitte freundlich. Und vor allem: Pariere vorher zum Schritt durch und geh in langsamem Tempo an ihnen vorbei.

»Richtig« ausreiten

Endlich hast du erreicht, wovon du geträumt hast: Dein erster selbstständiger Ausritt liegt in greifbarer Nähe. Ehe du durchstartest, noch ein paar Tipps, damit alles noch schöner wird: Wahrscheinlich wirst du in einer Gruppe mit anderen Reitern unterwegs sein und da müssen bestimmte Regeln eingehalten werden, wenn ihr wieder sicher nach Hause kommen wollt. Erste Regel: Der Führer der Gruppe darf nie überholt werden, das Gleiche gilt für Mitreiter, wenn eine Reihenfolge festgelegt worden ist – zu groß ist sonst die Gefahr, dass alles in einer wilden Jagd endet. Nicht vergessen, das Pferd ist ein Herdentier! Sei auch nicht enttäuscht, wenn du nicht neben deiner besten Freundin oder einem guten Kameraden reiten darfst. Auch die Pferde haben ihre Vorlieben, gehen besonders gern neben ihrem Koppelkameraden oder haben ein bisschen Respekt vor einem vierbeinigen Genosse, der gern mal in die Kruppe zwickt. Dein Reitlehrer weiß am besten, wen er »zusammenspannt«, und wer weiß, vielleicht kommst du dann mit einem neuen Reitgefährten vom Ausflug zurück.

Reitest du an für dein Pferd vermeintlich gefährlichen Dingen wie Plastiktüten oder Flatterplanen vorbei, dann besinne dich auf deine Atmung und deine Stimme – du weißt ja nun, was zu tun ist. Dein Pferd ist von Natur aus neugierig, lass es also das »schlimme« Ding in Ruhe anschauen oder sogar daran riechen. Zeig es ihm von beiden Seiten, dann stehst du auf dem Rückweg nicht vor dem gleichen Problem, wenn dein Pferd es mit dem anderen Auge betrachtet (siehe Umschlagklappe). Gerätst du unter Äste, dann beuge deinen Oberkörper blitzschnell seitlich neben den Pferdehals. Aus den Augenwinkeln musst du nun blinzeln, ob du durch bist. Kommst du vorher hoch, kann dir ein Ast ins Auge stechen. Und das ist schmerzhaft!

Was immer auch geschieht, werde nie hektisch. Bleib cool und genieße die schönen Stunden in der Natur zusammen mit deinem neuen Freund.

Achtung, Ronja, weich den Ästen aus!

ARTGERECHTE HALTUNG

Du weißt ja bereits, dass das Pferd ein Steppen- und Herdentier ist und sich seine Instinkte bis in unsere heutige Zeit erhalten hat. Um seine Bedürfnisse zu befriedigen – nur dann ist das Pferd auch zufrieden –, müssen wir es auch artgerecht halten. Zwar können wir nicht all unsere Pferde auf den Wiesen frei herumlaufen lassen, aber wir können dafür sorgen, dass sie ihren Bewegungsdrang und den Kontakt zu Artgenossen ausleben können (siehe auch Seite 12).

Bewegung

Das Pferd braucht eine Menge Bewegung, viel frische Luft und unbedingt auch seine vierbeinigen Freunde um sich herum. Viele Pferde werden auch heute noch in hoch vergitterten Innenboxen gehalten, manchmal aus Bequemlichkeit der Besitzer, die keinen Koppelmatsch abkratzen wollen, manchmal aus Sorge vor Verletzungen – viele unterschiedliche Pferde auf der Weide müssen sich erst mal zu einer Herde zusammenraufen, oft

wegen der einfacheren Nutzung im Reitbetrieb. Klar, man kann nicht alle Ställe mit Innenboxen abreißen und auch Umbauten kosten viel Geld. Aber jeder Stall- und Pferdebesitzer kann sich Gedanken machen, ob es nicht doch eine klitzekleine Möglichkeit gibt, den Pferden mehr Freude in den Alltag zu bringen: Es gibt immer Flächen, die sich zum stundenweisen Auslauf der Pferde eignen; man kann Stalltüren öffnen, um Licht und Luft hereinzulassen, und hohe Gitterboxen entsprechend umrüsten. – Immer vorausgesetzt, man ist bereit, Zeit, Arbeit und etwas Geld zu investieren.

Wenn Pferde viel Bewegung und Spaß mit ihren Koppelfreunden haben, sind sie auch im Umgang viel ausgeglichener und so mancher herzhafte Buckler wird dann nicht unter deinem Popo ausgelebt. Ganz viele Ställe haben mittlerweile die Paddockboxenhaltung mit täglichem Auslauf oder Weidegang organisiert. Prima, denn dadurch kann man ein paar Fliegen mit einer Klappe schlagen: Die Box befindet sich im geschützten Innenteil des Stalles, das Pferd hat aber ständig freien Zugang zum befestigten Auslauf vor seiner Box – ein Zimmer mit Balkon sozusagen. Das reicht natürlich noch nicht zum Ausleben des Bewegungsdranges, aber immerhin können sie sich über die Zäune ein bisschen

Sich das Fell schubbern können, wenn's juckt, das ist wichtig für Pferde.

kraulen oder sich einfach die Sonne auf den Pelz scheinen lassen. Es gibt außerdem immer was zu schauen und zu beobachten, sodass die Langeweile nicht so groß ist.

Die Luft ist bei solchen Ställen allgemein viel weniger durch Staub oder Ammoniakgase belastet, die Pferde können ungestört ein Nickerchen machen und ganz nach ihren Bedürfnissen gefüttert werden.

So richtig toll wird's dann, wenn sie täglich gemeinsam ein paar Stunden auf die Koppel oder einen Auslauf dürfen. Hier können sie toben und spielen, sich ausgiebig wälzen und einfach Pferd sein. Wenn die Rangfolge innerhalb der Herde erst mal geklärt ist, wird die Verletzungsgefahr durch Raufereien auch kleiner. Schön, dass es immer mehr Betriebe gibt, die ihre Pferde sogar im Offenstall halten. Gut organisiert – mit großen Flächen zum Ruhen, anderen, noch größeren zum Spielen und kleinen Nischen zum ungestörten Fressen –, ist dies sicher die artgerechteste Form der Unterbringung.

Futter

In freier Wildbahn ernährt sich das Pferd von Gras und frisst fast den ganzen Tag. Da es einen sehr kleinen Magen hat und einen ganz langen Darm, muss es über den Tag verteilt viele kleine Mahlzeiten zu sich nehmen, nur so klappt auch die Verdauung gut.

Heutzutage sind wir Menschen verantwortlich für ihre Mahlzeiten und wir müssen die Futtermenge, die ein Pferd benötigt, ganz gewissenhaft auf seine Rasse, seine Größe und sein Arbeitspensum abstimmen. Ganz wichtig für Pferde ist Wasser. Davon brauchen sie, je nach sportlicher Aktivität, ob sie Heu oder Gras fressen, ob es heiß oder kalt ist, bis zu 40 bis 50 Liter am Tag. Gibt es keine Selbsttränken, so muss mehrmals am Tag frisches Wasser aus Eimern gegeben werden.

Heu als Raufutter ist ein Grundnahrungsmittel für Pferde und sollte mehrmals täglich zur Verfügung stehen. Bei körperlichem Einsatz müssen Pferde noch Kraftfutter wie Hafer oder Müsli bekommen. Zusatzfutter wie Mineralien und Vitamine sollte ganz auf den Bedarf des einzelnen Pferdes abgestimmt werden. Die Fütterung ist keine einfache Angelegenheit. Wer die Portionen bestimmt, muss gut über das jeweilige Pferd Bescheid wissen. Schließlich muss es genug Nahrung für seinen Grundbedarf und die jeweilige Arbeit bekommen, darf aber auf keinen Fall zu dick werden, denn das ist der Gesundheit abträglich.

Auch du kannst aber deinen Anteil zur Gesundheit der Pferde beitragen: Wenn du im Stall bist, schau mal im Vorbeigehen in die Selbsttränken und Futtertröge. Manchmal äppeln Pferde da rein und dann saufen und fressen sie nicht mehr – die Kolik

lässt dann in den meisten Fällen nicht lange auf sich warten.

Möchtest du deinem Pferd was mitbringen, dann füttere Möhren, Äpfel oder gesunde Pferdeleckerli, aber bitte keinen Zucker und kein altes Brot, denn das bekommt vielen Pferden gar nicht gut. Gib fremden Pferden nicht einfach irgendetwas zu fressen. Erkundige dich erst, ob du das darfst. Fällt dir irgendetwas auf am Futter – sei es, dass etwas Eigenartiges drin liegt oder dass es komisch riecht –, dann verständige den Stallbesitzer, denn vier Augen sehen immer mehr als zwei.

Hatte ich 'nen Durst!

Wie geht's weiter?

Die gute Basis, die du dir geschaffen hast, eröffnet dir tolle neue Möglichkeiten.
Mit dem bis jetzt erreichten Wissen und Einfühlungsvermögen hast du die besten
Voraussetzungen, ein guter Reiter zu werden – aber denk immer auch an deinen
vierbeinigen Kameraden, dem du das verdankst.

Du hast die Wahl

Du weißt nun eine ganze Menge über Pferde und bist
auf dem besten Weg, ein einfühlsamer Reiter zu werden. Hast du dir schon überlegt, in welche Richtung es
weitergehen soll?

Falls du ein richtiger Sportreiter werden möchtest und
auf Turnieren starten willst, dann erinnere dich bitte bei
allen Erfolgen, aber auch Misserfolgen immer wieder an
deine Anfangszeit zurück. Denk vor allem an all das, was
du gelernt hast – zum Wohle des Pferdes.

Dein Ehrgeiz allein bringt keine Erfolge, das Pferd und
du, ihr seid ein Team und müsst euch einig sein.

Abenteuer Pferd

Mit Pferden kann man die tollsten Dinge erleben. Sie
machen mit bei wilden Reiterspielen. Sie lassen sich nur
mit einem Halsring – ohne Sattel und Trense – reiten
und fein steuern. Sie hüpfen mit Feuereifer und Reiter
auf dem Rücken über bunte Sprünge oder planschen
mit dir im nahe gelegenen Badesee. Du kannst sie vor
eine Kutsche spannen, Zirkuslektionen einstudieren oder
tagelange Wanderritte unternehmen.

Wenn dein vierbeiniger Freund artgerecht gehalten wird
und in dir einen wissenden und liebevollen Reiter hat,
wird es kaum etwas geben, das du nicht gemeinsam mit
einem Pferd erleben kannst.

Versuche aber bei allem, was du so vorhast, dich in dein
Pferd hineinzuversetzen. Würdest du dies oder jenes als
Pferd auch gerne machen? Überleg es dir ganz genau,
auch mit deinem Herzen, dann weißt du meist, was zu
tun und was das Richtige ist.

Nach innen horchen

Wenn dich beim Reitenlernen mal Zweifel oder Ängste
plagen, wenn du denkst, dass du überhaupt keine Fortschritte machst und nie ein guter Reiter wirst, dann denke
in Ruhe darüber nach, warum das so ist?

Sprich mit deinem Reitlehrer, deinen Eltern oder deiner
besten Freundin oder einem guten Freund über deine
Sorgen. Es ist ganz wichtig, dass du deinen Kummer
rauslässt. Dann findet sich auch eine Lösung. Manchmal
tut es auch unheimlich gut, ein paar Tränchen in die
Mähne deines Pferdes zu weinen. Das befreit richtig,
und du wirst staunen, welch gute Zuhörer Pferde sind.
Und wie gut sie trösten können – ohne Worte.

Tolle Perspektiven

Der Grundstein für dein zukünftiges Reiterleben ist gelegt und auf diesem kannst du Stein für Stein, manchmal auch Steinchen für Steinchen, ein ganz tolles »Gebäude« erstellen. Und dieser Satz ist jetzt nicht nur sinnbildlich gemeint, denn wenn ein Reiter sein Pferd gut kennt und im Wissen um dessen körperliches und seelisches Wohlergehen arbeitet, dann verändert sich mit der Zeit »das Gebäude«, wie der Pferdekörper auch genannt wird: Das Äußere wird immer ausdrucksvoller und gewinnt an Ausstrahlung.

Es gibt eine Menge Möglichkeiten, damit euch beiden, dir und deinem Pferdepartner, dieses schöne Hobby nicht langweilig wird. Ein bisschen Denksport deinerseits ist da schon manchmal nötig, denn wenn dein Pferd dir seine Ideen unterbreitet, kann das schon mal turbulent und manchmal gefährlich werden.

Glückliche Stunden zu zweit!

Keine Sorge, wenn du die Augen offen hältst und immer bereit bist, etwas dazuzulernen, dann wirst du viele Möglichkeiten erkennen, mit denen ihr zwei etwas anfangen könnt. Wichtig ist immer nur, dass du dir gut überlegst, ob die jeweiligen Übungen für dein Pferd o. k. sind und es nicht körperlich oder seelisch überfordern. Im Moment kannst du das noch nicht ganz allein erkennen und entscheiden, aber du kannst auf jeden Fall schon mal dein Gefühl für das Pferd schulen und deinen Wissensstand weiter ausbauen. Bis du ohne Ausbilder ein Pferd betreuen und voll dafür verantwortlich sein kannst, wird noch eine ganze Weile vergehen. Wenn es dann so weit ist, bist du aber auch in der Lage, diese Verantwortung und die Aufgaben, die daraus entstehen, zum Wohle des Pferdes zu tragen.

Halsringreiten

Reiten ohne Zaumzeug – ja, geht denn das überhaupt? Natürlich geht das, denn du hast ja schon ganz prima gelernt, deine Gewichts-, Schenkel-, Atmungs- und Stimmhilfen einzusetzen. Deine Zügelhände sind ohnehin auf sehr feines Arbeiten geschult worden und hier in der sicher umzäunten Reitbahn oder Reithalle kannst du nun kontrollieren, ob dein Pferd sich sogar ganz ohne Trense reiten lässt.

Den Pferden gefällt diese Art der Arbeit sehr, denn sie können sich auf diese Weise sehr schön dehnen und entspannen. Ihr zwei geht dabei viel zwangloser miteinander um, dein Pferd wird freier und raumgreifender gehen und du kannst einen wunderbar ausbalancierten Sitz erlernen, ohne auf Zügelnutzung angewiesen zu sein. Was spricht also dagegen? Nichts!

Aber so einfach Halsring aufs Pferd und ab die Post – das funktioniert natürlich nicht. Du musst wissen, wie man damit umgeht, denn dein Pferd soll ja deine

ABWECHSLUNG, JA BITTE!

So wie wir Menschen heutzutage die Pferde halten, sind wir ein wichtiger Teil ihres Lebensinhaltes. Du musst deshalb dafür sorgen, dass sich dein Pferd nicht langweilt – sowohl im Tagesablauf und als auch beim Reiten. Sonst stellt dein Pferd sich sein eigenes Spaßprogramm zusammen.

Signale deuten können. Die meisten Pferde reagieren aber sehr schnell auf diese neue Variante. Zu Anfang bleibt das Pferd noch gesattelt und getrenst. Die Zügel hängen lose über dem Hals und du fasst nun den Halring mit einer Hand, in der anderen hältst du eine Gerte, die du wie einen Zeigestock verwenden kannst. Sie hilft dir wieder einmal, dem Pferd bestimmte Signale zu verdeutlichen, von Strafe kann auch jetzt niemals die Rede sein.

Fang mal in Ruhe im Schritt an und versuche dann anzuhalten. Hierzu nimmst du den Halsring ganz hoch an den Pferdehals und gibst zupfende Signale. Gleichzeitig drückst du die Oberschenkel zu und sagst mit weicher, dunkler Stimme: »Hoooooo.« Prima, wenn es anhält, dann lobe es anschließend ausgiebig. Natürlich musst du auch sofort mit dem Zupfen aufhören und wieder völlig neutral sitzen.

Wenn du Wendungen nach links reiten willst, legst du den Halsring an die rechte Halsseite an. Das Pferd weicht diesem Druck nach links aus, reicht diese Bewegung nicht aus, kannst du auch mit der Gerte richtungsweisend arbeiten. Du hältst sie für das Pferd sichtbar rechts von seinen Kopf; so kann es begreifen, dass es nach links ausweichen soll, weil rechts ja die Barriere – die Gerte – ist.

Wenn ihr geübter seid, kannst du auch im Trab und Galopp mit dem Halsring reiten. Sogar Springen ist damit

Wer von Anfang an richtig reiten lernt, fühlt sich auf dem Pferd bald wie zu Hause.

möglich. Es macht allen Beteiligten sehr viel Spaß, und wenn ihr damit gut klarkommt, ist das ein deutliches Zeichen, dass du und dein Pferd ein freundschaftliches und harmonisches Verhältnis habt. Mach das ruhig öfter mit deinem Pferdepartner, auch wenn du mal ein ganz guter Reiter geworden bist, denn es ist ein wunderbares Gefühl, so zwanglos mit dem Pferd umgehen zu können. Übrigens: Im Gelände darfst du nicht mit dem Halsring reiten. Ein Pferd ist ein Pferd und es könnte erschrecken und durchgehen. Dann bist du hilflos, hast nur begrenzte Eingreifmöglichkeiten und gefährdest dich und vielleicht sogar andere. Aber auf dem Reitplatz oder einer gut eingezäunten Wiese steht eurem Vergnügen nichts im Wege!

Verständnis und gegenseitiges Vertrauen machen so ein tolles Team möglich.

TIPP Wenn dein Pferd Rückenprobleme hat, sind das Überreiten von Trabstangen und auch Springgymnastik über kleine Hindernisse ein gutes Rückentraining. Es wird locker, tritt mit den Hinterbeinen vermehrt unter seinen Schwerpunkt und dehnt sich schön an deine Hand.

Springgymnastik

Wow, heute wird gesprungen. Noch keine gewaltigen Höhen, aber darauf kommt es auch gar nicht an. Bei der Springgymnastik lernst du erst einmal, dein Pferd rhythmisch über Stangen zu galoppieren und zielgenau mittig über kleine Kreuze zu reiten.

Die Balance im leichten Sitz kannst du wunderbar über Trabstangen schulen. Zu diesem Zweck werden mehrere bunte Bodenstangen in einem gleichmäßigen Abstand – passend für die Trabtritte deines Pferdes – auf den Boden gelegt. In den ersten Springgymnastikstunden liegen sie senkrecht zur langen Seite und nicht mitten in der Bahn, denn das erleichtert dir das gerade Anreiten entlang der Bande: Schon aus der Wendung heraus auf die Stangen zu musst du die erste Stange im Blickfeld haben. Wenn du schnurgerade darauf zureitest und deine Zügel- und Schenkelhilfen das Pferd umrahmen, wird dein Pferd auch haargenau über die Mitte der Stangen treten. Du bleibst währenddessen im leichten Sitz und balancierst dich schön rhythmisch mitschwingend aus, ohne dass deine Schenkel dabei verrutschen. Achte darauf, dass dein Pferd genügend Zügelfreiheit hat, und folge ihm weich mit der Hand in Richtung Pferdemaul, wenn es anfängt, sich über die Trabstangen zu dehnen.

Bei den ersten Sprüngen musst du nicht aufgeregt sein, denn sie sind nicht hoch und du kannst sie noch in Ruhe aus dem Trab anreiten. Am Anfang ist das sogar sinnvoller, denn manche Pferde entwickeln beim

Springen so einen Feuereifer, dass sie im Galopp in einem Affenzahn auf die bunten Stangen losrennen. Und dieses Tempo kannst du dann doch noch nicht regulieren. Im Trab fällt es dir auch leichter, den geraden Weg auf die Stangen zu besser einzuhalten. Durch die Übungen beim Bergauf- und Bergabreiten ist dein leichter Sitz schon sicherer geworden, das kommt dir jetzt zugute. Auch das Überwinden der kleinen Gräben mit unvermuteten Hopsern deines Pferdes hat dir geholfen, im richtigen Moment der Pferdebewegung folgen zu können und mit der Hand Richtung Pferdemaul mitzugehen. Über Sprünge zu reiten ist auch nichts anderes als das sonstige Reiten, nur dass etwas im Weg steht. Du musst den Rhythmus halten und in einem flüssigen, aber gleichmäßigen Tempo dein Pferd durch den Springparcours – das ist eine Folge von mehreren einzelnen Hindernissen, die auf einem ganz bestimmten Weg überwunden werden müssen – steuern.

Wenn dein Pferd zögert, über Bodenstangen, Cavalettis oder niedrige Baumstämme zu springen, dann mach es ihm doch zu Fuß mal vor und nimm es dabei an der Hand mit. Sicher wagt es das dann auch, wenn du als Reiter auf seinem Rücken sitzt.

Ausritte durchs Wasser

Wie herrlich, endlich Sommer. Es ist heiß und die Reitbahn staubt leider gerade ziemlich. Aber wenn ein Bach in eurer Nähe ist, dann gibt es da noch andere Möglichkeiten: Heute reiten wir zum Wasser runter und lassen die Pferde planschen.

Für die Menschen, sofern sie schwimmen können, ist Wasser ja auch nichts Bedrohliches und der Bach ist sowieso nicht tief. Pferde sind da schon misstrauischer, denn die wenigsten wachsen in der Fohlenzeit mit direkter Wasserberührung auf den Koppeln auf. Ihnen ist Wasser, durch das sie laufen sollen, erst einmal fremd. Auch über einen Wassergraben zu springen erfordert viel Mut von einem Pferd. Wasser glitzert im Licht in allen

möglichen Varianten und Pferde lesen daraus alle möglichen Gefahren für sich. Einen Bach zu durchqueren heißt deshalb, viel Vertrauen zum Reiter zu haben. Das Pferd kann ja nicht ahnen, dass der Bach nicht tief ist. Pferde können zwar schwimmen, aber ganz geheuer ist den meisten das Wasser nicht.

Du kannst einiges tun, um deinem Partner die Angst zu nehmen. Bei der Bodenarbeit mit Pferden oder einer Gassi-Geh-Runde gibt es sicher immer mal wieder die Gelegenheit, an einer Pfütze oder einem Bächlein zu üben. Lass dein Pferd in aller Ruhe an dem Wasser riechen. Manche Pferde fangen dann auch an, mit den Vorderhufen in der Pfütze zu scharren. Das ist o. k., denn

Springgymnastik fördert gegenseitiges Vertrauen und Sicherheit von Pferd und Reiter.

TIPP Zeige deinem Partner alles Neue in ruhiger und entspannter Atmosphäre. Mit etwas Geduld und liebevoller Konsequenz wird es auch das akzeptieren und sich nicht fürchten. Immer vorausgesetzt, es vertraut dir und ist dabei noch nie enttäuscht worden.

sie probieren aus, wie der Untergrund aussieht. Wenn du einigermaßen dichte Schuhe anhast und daheim keinen größeren Krach riskierst, dann geh ruhig mal ein paar Schritte voraus durch die Pfütze, dein Pferd wird dich für sehr mutig halten und dir vielleicht auch schon brav folgen. Lobe es dann ausgiebig.

Im Bach selbst entdecken viele Pferde, speziell wenn es heiß ist, ihre große Liebe zum Baden und schaufeln vor lauter Wonne mit den Vorderhufen ganz viel Wasser unter ihren Bauch. Es kommt auch schon mal vor, dass sich ein Pferd mitsamt Reiter und Sattel in die Fluten

legt, um sich ausgiebig im Wasser zu aalen. Das ist natürlich nicht der Hit! Nicht wegen des Nasswerdens, es ist ja warm, aber der Grundgehorsam sollte nicht zulassen, dass ein Pferd sich samt Reiter wälzt.

Reiterwettbewerbe

Die Prüfungen zum kleinen und zum großen Hufeisen sind sogenannte Motivationsabzeichen. Sie sollen dich dazu motivieren, mit einem ganz bestimmten Ziel vor Augen deinen Sport auszuüben und die gemeinsamen Leistungen von dir und deinem Pferdepartner ständig weiterzuentwickeln. Bei diesen Prüfungen gibt es noch keine Noten, sondern nur das Ergebnis »bestanden« oder »nicht bestanden«. Es ist sozusagen für dich eine Kontrolle, ob du bis zu diesem Zeitpunkt auch alles begriffen hast und richtig machst.

Diese Prüfungen kann man bis zum 18. Lebensjahr ablegen. Meist geht ihnen ein ganz spezieller Lehrgang voraus, in dem genau die Fragen und Themen geübt

Tolle Abkühlung an einem heißen Sommertag.

werden, die dann auch am Prüfungstag dran sind. Am Prüfungstag selbst kommt ein eingeladener Prüfer, der schon beim Putzen, Satteln und Trensen dabei ist. Er schaut sich auch an, wie du dein Pferd am Putzplatz anbindest und zum Reitplatz führst. Danach wird geritten. Je nachdem, ob du das kleine oder das große Hufeisen machst, auch mit ein paar kleinen Sprüngchen über Hindernisse. Aber keine Sorge, die Anforderungen sind deinem Alter angemessen und der Prüfer ist jemand, der Verständnis für die Aufregung an solchen Tagen hat.

Am Schluss wird im Theorieteil der Prüfung noch eine ganze Menge über den Umgang mit Pferden, die Versorgung, die Ausrüstung, die Grundregeln des Reitens und etwas zur Unfallverhütung gefragt. Spätestens am Prüfungstag wirst du merken, dass es sich auszahlt, wenn man sich ausgiebig mit allem, was rund um das Pferd passiert, beschäftigt. Durch die hautnahen Kontakte zum Pferd von Anfang an hast du bereits eine ganze Menge Wissen erlangen können.

Für diese Motivationsabzeichen musst du auch noch keine spezielle Turnierkleidung tragen. Ordentliche und sichere Reitkleidung mit Helm ist völlig ausreichend. Schön und einheitlich sieht es aus, wenn alle in eurer Reitgruppe die gleiche T-Shirt- oder Pullifarbe tragen. Vielleicht könntest du aber dein Pferd ein bisschen herausputzen und die Mähne oder den Schweif einflechten. Das macht großen Spaß und ergibt ein schönes Bild. Solltest du tatsächlich einen schlechten Tag erwischen, mit Bauchweh und Nervosität, dann macht das nichts, du kannst diese Prüfungen so oft wiederholen, wie du willst.

Merke dir jetzt schon für deine ganze spätere Reiterlaufbahn Folgendes: Sportlicher Ehrgeiz ist absolut in Ordnung, wenn du sicher bist, deinen Partner dabei nicht zu überfordern.

Bei bestandener Prüfung erhältst du eine Urkunde und ein Abzeichen. Wie wäre es mit ein paar Möhren als Dankeschön für deinen Pferdepartner?

Glückliche Gesichter nach bestandener Prüfung.

REITERSPIELE

Reiten und der Umgang mit dem Pferd bietet so viele Möglichkeiten, das es dir bestimmt nie langweilig wird. Hast du aber schon mal daran gedacht, mit deinem Pferd zu spielen? Das tut es nämlich sehr gern und du doch sicher auch.

Im zwanglosen Miteinander habt ihr so die Gelegenheit, immer mehr gegenseitiges Vertrauen aufzubauen. Du lernst spielerisch, dich mit deinen Reiterhilfen dem Pferd verständlich zu machen, und dein Pferd wird es sehr schätzen und viel feiner

reagieren, wenn du ganz locker und aus Spaß an die Sache rangehst.

Manche Menschen vermitteln leider den Eindruck, dass Reiten eine sehr ernste Angelegenheit sei. Ernsthaft sollte man es schon betreiben, denn schließlich ist es ein Teamsport mit einem andersartigen Lebewesen, aber Spaß sollte es trotzdem machen – und zwar beiden!!! Du kannst ja bei euch in der Reitschule mal ein paar Vorschläge für Reiterspiele machen. Das lockert den Unterricht auf und ist meist mit einem geringeren

Aufwand an Zeit und Material zu organisieren, als man glaubt.

Ein ganz beliebtes Spiel im Sommer ist das »Eimerschöpfen«: Auf dem Reitplatz steht an jeder kurzen Seite eine umgekippte Plastiktonne. Bei A steht ein Eimer mit Wasser darauf, bei C ein leerer Eimer. Ihr bildet nun zwei Mannschaften. Jeder Reiter muss mit einem Plastikbecher Wasser aus dem Eimer schöpfen, mit diesem vollen Becher auch aufsteigen und rüber zur anderen Tonne reiten. Dort wird das, was

Zwei auf dem Kriegspfad?

Nur ja keinen Tropfen verschütten, Silvi!

noch drin ist, ausgekippt und wieder zurückgeritten zu A. Hier übergibst du den leeren Becher an deinen nächsten Reitkollegen und los geht's auf ein Neues. Dieses Spiel kann man in allen möglichen Varianten durchführen: Der Weg von A nach C kann mit Hindernissen gespickt sein, die um- oder überritten werden müssen. Oder ihr reitet auf Geschwindigkeit: Welche Gruppe also als Erste durch ist und das meiste Wasser im leeren Eimer hat, gewinnt. Hier sind eurer Fantasie keine Grenzen gesetzt und es fördert auch gleich wieder das Mitdenken, wenn ihr selbst ein Spiel auf die Beine stellt, statt euch mit fertigen Regeln »berieseln« zu lassen. Natürlich sollten die Pferde sicher und nicht schreckhaft sein, damit keiner zu Schaden kommt. Nass werden aber bestimmt alle Beteiligten, so viel steht fest.

Wer lieber trocken bleibt, kann auch einen **Eierlauf** zu Pferd veranstalten – in diesem Fall allerdings mit Kartoffeln, die in einer Suppenkelle transportiert werden. Oder ihr könnt in einem Zweierteam mit Pferd eine **Schnitzeljagd** veranstalten und dabei Zusatzaufgaben lösen: Sackhüpfen und Pferd führen oder sich gegenseitig im Schubkarren transportieren – mit »Handpferd« natürlich. Großes Hallo gibt es auch bei der »Reise nach Jerusalem« zu Pferd.

Vielleicht kannst du deine Eltern ein bisschen einspannen, damit sie dir

helfen, ein paar schöne Hindernisse für den **Geschicklichkeitsparcours** zu basteln. Ganz einfach ist ein großer Flatterbandvorhang selbst zu machen. Du brauchst drei Dachlatten aus Holz und eine Rolle Flatterband. Die Dachlatten schraubt bestimmt dein Papa gern zusammen. Es müssen zwei lange und eine etwas kürzere sein. Die langen werden mit Schnüren an Springständer gebunden, so bekommt der Vorhang genug Höhe, damit du mit deinem Pferd hindurchreiten kannst. An der oberen kurzen werden unzählige Streifen Flatterband aufgehängt, zum Beispiel mit einem Tacker oder einfach verknotet.

Oder besorg einen großen bunten **Gymnastikball,** dann steht auch einer gemeinsamen Fußballkarriere nichts mehr im Wege – zumindest für dein Pferd, wenn es sich an den Ball gewöhnt hat, denn das macht die Tore.

All diese schönen Spiele bereichern deine Reiterlaufbahn und du kannst sicher sein, die meisten erwachsenen Reiter werden mit leuchtenden Augen am Reitplatz stehen und insgeheim gerne mitspielen wollen. Die meisten trauen sich nur nicht. Wie schade !!! Wenn du mal erwachsen bist, fragst du bei so einer Gelegenheit bitte den Kindertrupp: »Darf ich mitspielen?«

Wer schießt das nächste Tor?

Umgang mit Angst und Frust – auch kleine Schritte führen ans Ziel

Es gibt immer wieder Momente, da klappt es nicht so richtig oder du hast das Gefühl: Oje, das lerne ich nie. Manchmal wirst du vielleicht auch ungeduldig, weil du jetzt aber endlich galoppieren willst und der Reitlehrer lässt dich noch nicht.

Auch die Angst spielt eine große Rolle beim Reiten und hindert dich hin und wieder am schnellen Weiterkommen. Du kannst zwar ziemlich schnell lernen, dich auf dem Pferd halten und bewegen, aber richtig Reitenlernen dauert eigentlich ein Leben lang. Weißt du, warum? Pferde sind Lebewesen, sie verändern sich im Laufe ihres Lebens und du musst mit immer neuen Situationen umgehen lernen. Kein Pferd ist wie das andere und daher wirst du immer wieder zum Mit- und Nachdenken aufgefordert. Aber wenn es dir gelingt, ein wirklich guter Reiter zu werden, wenn du merkst, dass du mit den

Ach, irgendwie hat heute nichts so richtig geklappt.

unterschiedlichsten Pferden gut zurechtkommst und sie dich verstehen können und dir vertrauen, dann wirst du auch erkennen, dass sich die lange Zeit des Lernens gelohnt hat. Dieses Gefühl wird jemand, der nur rasch die reine Technik des Reitens gelernt hat, nie empfinden können. Bitte denke daran, wenn es dir wieder einmal nicht schnell genug geht. Du wirst auch feststellen können, dass du manchmal (sinnbildlich) einen riesigen Schritt nach vorn machst. Da gibt es Reitstunden, die sind gespickt mit Aha-Erlebnissen: Plötzlich fühlst du, was gemeint ist, und es macht »klick«! Dann gibt es Wochen und Monate, da hast du den Eindruck, es geht überhaupt nicht weiter. Aber das stimmt nicht. Dein Körper und dein Geist nehmen sich lediglich das Recht, sich das neu Erlernte erst einmal gründlich einzuprägen. Das ist auch gut so, denn Bewegungsformen, die man oft übt, gehen dann schließlich in Fleisch und Blut über. Wenn du es akzeptierst, dass es auch Pausen beim Lernen gibt, wirst du die Zeit nutzen können, um immer sicherer zu werden.

Dein Pferd ist jedenfalls nicht schuld, wenn es bei dir mal mit dem Reiten nicht so klappt. Zwar gibt es auch unter den Pferden ein paar Kobolde, die ganz gerne immer wieder ihre Grenzen in eurer gemischten Reiter-Pferd-Herde austesten wollen, um vielleicht ein Stückchen vor dir im Herdengefüge stehen zu können, aber grundsätzlich liegt es an dir, ob dein Pferd dich versteht oder nicht.

Das Pferd und auch sonst niemand kann etwas dafür, wenn du vielleicht wegen einer verpatzten Klassenarbeit Stress daheim hast oder nicht gut drauf bist. Also lass deine schlechte Laune bitte nicht an anderen aus! Auch übertriebener Ehrgeiz und die Enttäuschung oder sogar Wut, wenn die Erfolge dann nicht kommen, schadet dir letztendlich nur selbst. Du wirst immer verkniffener und verbohrter bei der Arbeit mit deinem Pferd und forderst

TIPP Wenn es die Situation erfordert, ist es vollkommen in Ordnung, wenn du mal energisch mit deinem Pferd umgehst. Immer vorausgesetzt, du weißt, was du tust und warum. Aber Wut, Zorn oder Frust über Grobheit am Pferd ausleben, das darfst du niemals!

vielleicht Dinge von euch, die ihr eigentlich noch gar nicht könnt. So stellt sich Erfolg erst recht nicht ein! Leider passiert das sehr oft nur deshalb, weil man andere beeindrucken will. Wie es dem Pferd dabei geht, wird nicht gefragt. Wirklich beeindruckend sind aber Reiter, die ihr Pferd liebevoll und geduldig und den körperlichen Voraussetzungen entsprechend ausbilden. Solche Reiter haben es gar nicht nötig, ihr Pferd zu triezen, denn es wird freudig bei der Arbeit mitmachen.

Auf einem ordentlich ausgebildeten Pferd brauchst du auch keine Angst haben, denn es ist ein zufriedenes Reittier und hat keinen Grund, sich gegen dich durchsetzen zu wollen. Gegen die Angst kannst du eine ganze Menge tun. Auch dein Ausbilder wird dir dabei helfen; wenn er zu den richtig guten seines Berufs gehört, dann bringt er dir nicht nur die Technik des Reitens bei, sondern hat auch immer ein offenes Ohr für deine Sorgen und Ängste und wird sich bemühen, diese mit dir gemeinsam in den Griff zu bekommen. Die beste Möglichkeit, deine Angst zu besiegen, ist, das Pferd verstehen zu lernen und seine Sprache zu sprechen. Wenn du mit einer großen Menge Wissen, freundlich, aber auch selbstbewusst auf das Pferd zugehst, hast du den Boss-Job ganz bald. Beobachte Pferde in ihrem Verhalten untereinander, sooft es geht, da lernst du eine ganze Menge über ihre Sprache. Manches ist nur halb so schlimm, wenn schon klar ist, was dich erwarten könnte, denn dann bist du gut vorbereitet und wirst nicht völlig überrascht. Präge dir folgende Merksätze ein und benutze sie in den entsprechenden Situationen, ich bin sicher, sie werden dir helfen. **Merke: Fröhlichkeit frisst den Frust! Mut besiegt die Angst!**

Das Leben ist so schön! In der Pause darf der Helm auch mal runter.

Nachwort – (M)eine Bitte an dich

Sicher weißt du inzwischen, was dir besonders viel Spaß macht. Vielleicht turnst du wahnsinnig gern auf dem Pferd und möchtest dich einer Voltigier-Turniergruppe anschließen. Vielleicht gefallen dir Ausritte am besten und eigentlich willst du nur immer über Wiesen- und Waldwege galoppieren. Vielleicht hast du deine Leidenschaft fürs Springen entdeckt und träumst von goldenen Siegerschleifen über deinem Bett. Welchen Weg du auch einschlägst – und all diese Wünsche sind machbar –, berücksichtige immer dabei, dass dein Sportpartner ein Lebewesen ist, für das du Verantwortung trägst. Wenn du es körperlich oder psychisch überforderst, dann schadest du dir auch selbst. Eine Schleife gibt's dann nämlich auf keinen Fall und dein neuer Freund wird möglicherweise ernsthaft krank.

Wenn sich jeder Mühe gibt, können alle Geschöpfe gut zusammenleben.

Zum Sport gehört immer auch Teamgeist: Da muss man zum Wohl des anderen auf etwas verzichten, um beim nächsten Mal – gut vorbereitet und in jeder Beziehung in Hochform – ganz vorne mit dabei zu sein. Was immer du deshalb anstrebst, denk dran, dass du und dein Pferd ein Team seid, beim dem du die Rolle des Teamchefs innehast. Das heißt aber noch lange nicht, dass du einfach die Kommandos gibst und der andere gehorcht. Ein Team ist nur gut, wenn seine Mitglieder sich einig sind.

Dieses Buch möchte dir einen guten Start ins Reiterleben ermöglichen, wobei 140 Seiten natürlich bei weitem nicht alles über ein so spannendes und interessantes Hobby erklären können. Ein Reiter zu werden – das schaffen viele. Ein guter Reiter zu werden – das schaffen einige. Aber zu einem wirklich sehr guten Reiter, einem echten Horseman oder einer echten Horsewoman, gehört mehr als Technik und Körpergefühl: nämlich Verständnis und Liebe zum anderen Lebewesen, dem Pferd.

Die Basis dafür hast du nun. Mach etwas daraus! Die Pferde schenken dir so viel, denk mal an all die Glücksmomente, die du schon auf dem Pferderücken oder an seiner Seite erleben durftest. Bitte mach auch du den Pferden das Geschenk, an deiner Seite ein zufriedenes Leben führen zu können. Interessiere dich für alles, was ein Pferd für seine ihm ganz eigenen Bedürfnisse braucht, und höre nie auf, immer mehr darüber lernen zu wollen. Behandle es seiner Art entsprechend und geh dabei behutsam und gefühlvoll mit ihm um. Wenn du das beherzigst, wirst du eine Form der Freundschaft erleben, die du vorher noch nicht kanntest. Und auch deine sportlichen Erfolge werden vom harmonischen Zusammensein mit dem Pferd profitieren. Lerne Horsemanship zu verstehen, es zu leben und vielleicht sogar einmal weiterzugeben – das ist (m)eine Bitte an dich.

Vielen Dank

… an meine Lektorin, Annette Rose, der es gelang, meinen Wortfluss schon im Vorfeld zu bändigen und von der ich eine Menge über die zeit- und platzsparende Technik des Schreibens lernen konnte, sowie an alle Mitarbeiter/innen des BLV-Verlags, die mir wieder sehr freundlich und geduldig begegneten, obwohl einzelne bei »**Just fun – Reitkurs für Erwachsene**« sicher Nerven gelassen haben. Ein ganz besonderer Dank gilt meiner Lektorin Christa Klus-Neufanger, die einmal mehr bewiesen hat, dass sie das Wort »Zusammenarbeit« wörtlich nimmt, und die mit ganzem Herzen dieses Buchprojekt unterstützt hat;

… an meinen Ehemann, den Fotograf Rainer Lebherz, der es immer wieder schafft, die tolle Atmosphäre in seinen Bildern einzufangen, und schon bei den Aufnahmen für das »Erwachsenen-Just fun« bewiesen hat, dass er Nerven wie Drahtseile besitzt;

… an alle Kinder, Jugendlichen und Erwachsenen, die beim Foto-Shooting so begeistert mitgemacht haben und weder Zeit noch Mühe scheuten;

… an Gabi Schreiber, die Gründerin und Leiterin des Zentrums für Heilpädagogisches Reiten am Heimgartenhof, 72131 Ofterdingen (Baden Württemberg): dafür, dass es diese schöne Reitschule gibt.

Mein größter Dank gilt aber wieder einmal den Pferden, die so vielen Menschen Freude bereiten und uns allen so gute Lehrer sind!

Stellvertretend für die zahlreichen Zwei- und Mehrfüßler des Heimgartenhofes hier eine kleine Auswahl davon.
Mit dabei die Schimmelstute Nadja – 31 Jahre jung, immer noch munter und nur Teilzeitrentner!

Zum Weiterlesen

Renate Ettl: Basispass Pferdekunde, blv

Ulrike und Christiane Gast: Das große und kleine
Hufeisen – Die Reiternadel, Kosmos

Ulrike und Christiane Gast: Der erste Turnierstart,
Kavalkade Ratgeber, Kosmos

Heike Lebherz: Sichtweisen – Positive Gedanken
zu Mensch und Pferd, FN-Verlag

Desmond Morris: Horsewatching – Die Körpersprache
des Pferdes, Heyne

Ulrike Rieder: Voltigieren mit Spaß, blv

Silvia C. Strauch: Wie Pferde denken, blv

Linda Tellington-Jones: Die Linda Tellington-Jones
Reitschule, Kosmos

Sigrid Weppelmann: Basispass Pferdekunde,
Müller-Rüschlikon

Nützliche Adressen

Deutsche Reiterliche Vereinigung e.V. (FN)
Freiherr-von-Langen-Str. 13
48231 Warendorf
www.fn-dokr.de

Deutsches Kuratorium für Therapeutisches Reiten e.V.
Freiherr-von-Langen-Str. 13
48231 Warendorf
E-Mail: dkthr@fn-dokr.de

FS Test Zentrum Reken
Frankenstraße 37
48734 Reken
www.fs-reitzentrum.de

Bildnachweis

Studio Lebherz, Ofterdingen (Rainer Lebherz), außer:

Studio Lebherz, Ofterdingen (Heike Lebherz):
Seite 13, 24, 29, 30, 31, 61 unten links, 61 unten rechts, 66, 80 unten, 93,
99 oben, 106, 115, 136 links

Studio Lebherz, Ofterdingen (Friedrich Gohde jun.): Seite 81, 121

Gabi Schreiber, Zentrum für Heilpädagogisches Reiten am Heimgartenhof: Seite 50

Grafiken: Jörg Mair, München

Über die Autorin

Heike Lebherz (Reitwart FN) hat über 40 Jahre Pferdeerfahrung und erteilt seit mehr als 25 Jahren Reitunterricht für Kinder und Erwachsene. Ihr Motto: Freude für **alle** Beteiligten!

Impressum

Bibliografische Information der Deutschen Nationalbibliothek

Die Deutsche Nationalbibliothek verzeichnet diese Publikation in der Deutschen Nationalbibliografie; detaillierte bibliografische Daten sind im Internet über http://dnb.d-nb.de abrufbar.

2. Auflage – Neuausgabe

BLV Buchverlag
GmbH & Co. KG

80797 München

© 2012 BLV Buchverlag GmbH & Co. KG, München

Umschlagkonzeption: Kochan & Partner, München
Umschlagfotos: Studio Lebherz
Lektorat: Annette Rose, Christa Klus-Neufanger
Herstellung: Ruth Bost
Satz und Layout: Uhl + Massopust, Aalen

Gedruckt auf chlorfrei gebleichtem Papier

Printed in Slovakia
ISBN 978-3-8354-0955-2

Hinweis
Das vorliegende Buch wurde sorgfältig erarbeitet. Dennoch erfolgen alle Angaben ohne Gewähr. Weder Autorin noch Verlag können für eventuelle Nachteile oder Schäden, die aus den im Buch vorgestellten Informationen resultieren, eine Haftung übernehmen.

Raus in die Natur – zum Spielen, Basteln, Forschen!

Veronika Straaß
Mit Kindern die Natur entdecken
Spielen in der Natur – von der Schatzsuche, Kastanienrallye und Bienenkneipe bis zum Beerenballett, Schneckenderby und Blattmemory · Bauen und basteln: ein Insektenhotel, Blumenkränze, ein Haus aus Ästen, Naturschmuck, Blattdrucke, Eichel-Elche, Sankt-Martins-Lichter, eine Vogel-Snackbar und vieles mehr · Beobachten und experimentieren: Pflanzen und Tiere kennenlernen und Zusammenhänge verstehen.
ISBN 978-3-8354-0696-4